Пособие по корейскому
для начинающих

FIRST STEP IN KOREAN FOR RUSSIAN

Compiled by
The Institute of Continuing Education
of Kyung Hee University

▪ Главный Автор
Ли Сук Ча
Закончила филологический факультет Университета Аояма-Гакуин(Токио, Япония)
Закончила аспирантуру Университета Аояма-Гакуин
Стала доктором филологических наук
Директор института иностранных языков Университета Кён Хи
В настоящее время: Директор Поствузовского образования Университета Кён Хи
Профессор отделения японского языка

▪ Перевод
Ким Чан Гу
Закончил отделение русского языка Университета Кён Хи
Студент по обмену в МГУ
Аспирант отделения корейского языка для иностранцев Университета Кён Хи

FIRST STEP IN KOREAN FOR RUSSIAN

by Institute of Continuing Education of Kyung Hee University

Published by MINJUNG SEORIM
37-29, Hoedong-gil, Paju-si,
Gyeonggi-do, 10881, Rep. of KOREA
Phone: (031) 955-6500~6 Fax: (031) 955-6525~6

Price: 13,000 Won
ISBN: 978-89-387-0007-0 13710

Printed in Korea

Предисловие

По мере глобализации мир становится всё меньше и меньше. В обстановке обмена информацией, технологиями и культурой, взаимное понимание между странами становится обязательным условием для выживания в международном сообществе.

Способности в общении являются ключом к достижению понимания между странами и приобретения конкуренто способности на мировом рынке. В соответствии с этой тенденцией знание корейского языка также становится всё более необходимым для участия в мировой политике, экономике и культуре. Поэтому авторы данной книги задумали идею написания пособия для начинающих по корейскому языку.

Для публикации данного пособия были привлечены многочисленные специалисты в различных сферах. Среди них не только специалисты по корейскому языку, но также и по русскому.

Мнения лингвистов других иностранных языков было неоценимо, поскольку пособие предназначено для студентов других стран, в том числе России. В пособии отражены мнения как профессионалов-лингвистов, так и реальных читателей.

Процесс подбора материалов, редктирования, отбора Фотографий занял немало времени. Пособие богато Фотоматериалами, которые помогут читателям в изучении языка.

Мы выражаем глубокую признательность всем людям, внёсшим вклад в дело издания данной книги и надеемся, что данное пособие поможет многим студентам в изучении корейского языка по всему миру.

Ли Сук Ча, Профессор

Директор Поствузовского образования Университета Кён Хи.

Введение

Это пособие предназначено для студентов, начинающих изучение корейского языка с его основ. Оно позволяет освоить навыки корейского языка за короткий период времени наиболее эффективным способом и ознакомиться с корейской культурой.

Пособие будет наиболее полезно тем людям, которые приехали в Корею на небольшой срок и хотели бы изучить корейский язык для разговорного общения. Пособие составлено из тем, которые наиболее часто встречаются в обыденных ситуациях, таких как знакомство, вопросы и ответы, даты, цифры, заказ в ресторане, телефон, путешествия, снятие наличных денег со счёта в банке, магазины, химчистки и.т.д.

Данное пособие уделяет большое внимание практическому использованию корейского языка, нежели детальному раз яснению грамматики. Однако это вовсе не означает, что основы грамматики полностью опущены, просто они даны в упрощённом виде, лёгком для понимания. Об яснение грамматических конструций не является исчерпывающим и всесторонним, а раз ясняет выражения, использованные в приведённых уроках.

В изучении корейского языка, практика играет наиболее важную роль для освоения новой языковой системы. Наиболее тщательно разработанным разделом пособия является раздел упражнений.

Все вопросы основаны на материале приведённых уроков с представлением нескольких новых слов. Таким образом, уроки составлены комплексно для понимания и закрепления новой информации, полученной в каждом уроке.

Увеличение словарного запаса небходимо для прибретения языковых навыков. Новые слова приведены сразу после диалогов. Слова даются в той производной форме, в которой они были использованы в тексте. Родственные слова из одной категории, например, если слово “лето” встречается в тексте урока, такие слова как осень, зима или весна, будут указаны в словарных упражнениях. Также многочисленные фотографии помогут читателям в понимании слов и текста.

Поскольку данное пособие предназначено для начинающих, вместе с английской транскрипцией даётся романизация слов, разработанная Министерством Образования. Однако использование романизации должно быть минимальным, лишь для подтверждения произношения. Корейский язык, также как и английский, основан на системе звуков, поэтому после её освоения в самом начале, читателю не понадобится обращать внимание на романизацию. Английский перевод текстов, который также даётся в пособии, не является дословным, а передаёт смысл всего предложения.

В пособии также представлен раздел индексов, где указаны незнакомые слова, выражения или грамматические конструкции с переводом на русский и японский языки. В конце пособия даются основы китайских иероглифов, знание которых необходимо при изучении корейского языка. В том же разделе представлены таблицы измерений, меры веса, счёта в сравнении с английской системой.

Пособие состоит из 20 уроков, об единённых в 3 раздела. В первый раздел входят 6 уроков, во второй - 7, в третий - 7.

Каждый урок включает новые слова, фразы, упражнения, грамматические конструкции, выражения и упражнения. В начале пособия указан алфавит, в приложении даются индексы, меры измерения.

значение символов

( ) означает выбор или корень глагола.
→ означает изменение формы
\+ границы морфемы
– связанная форма

Произношение

1 Согласные “ㄷ”, ”ㅌ”, “ㅈ”, “ㅊ” и “ㅆ” произносятся как закрытый “ㄷ” в конце слова. Согласные “ㄱ” и “ㅋ” в конце слова читаются как “ㄱ”, а согласные “ㅂ” и “ㅍ” как “ㅂ”.

пример) 밭〔받〕 поле 빛〔받〕 свет
부엌〔부억〕 кухня 앞〔압〕 фасад

2 Если после выше указанных согласных следует гласная, то они читаются в обычном порядке.

пример) 한국어〔한구거〕 корейский язык
묻어〔무더〕 спрашивать 직업〔지겁〕 профессия
월요일〔워료일〕 понедельник

■ Если после согласных “ㄱ”, “ㄷ”, “ㅂ”, “ㅅ” и “ㅈ” следую “ㄴ”,“ㄹ”,“ㅁ”,“ㅇ” и “ㅎ”, то они читаются как твёрдые “ㄲ”, “ㄸ”, “ㅃ”,” ㅆ” и “ㅉ”.

пример) 한국어〔한구거〕 корейский язык
묻어〔무더〕 спрашивать 직업〔지겁〕 профессия
월요일〔워료일〕 понедельник

■ Если после согласных “ㄱ”,“ㄷ” и “ㅂ” следуют носовые звуки “ㅁ”, “ㄴ” и “ㅇ”,то они ассимилирую тся с этими звуками.

пример) 낱말〔난말〕 слово 작년〔장년〕 прошлый год

■ Если после согласных “ㄷ” и “ㅌ” следует гласная “이”, то они читаются как “ㅈ” и “ㅊ”.

пример) 맏이〔마지〕 старший брат 같이〔가치〕 вместе

■ Согласная “ㄴ” читается как “ㄹ” до и после согласной “ㄹ”.

пример) 천리〔철리〕 четыре тысячи метров

달나라〔달라라〕 луна

■ Согласные читаются с придыханием после “ㅎ”.

пример) 좋다〔조타〕 хорошо 많다〔만타〕 много

■ Сокращённые гласные: соединение гласных

пример)

오〔o〕+아〔a〕→ 와〔wa〕	우〔u〕+어〔eo〕→ 워〔wo〕
이〔i〕+아〔a〕→ 야〔ya〕	이〔i〕+어〔eo〕→ 여〔yeo〕
이〔i〕+오〔o〕→ 요〔yo〕	이〔i〕+우〔u〕→ 유〔yu〕
아〔a〕+이〔i〕→ 애〔ae〕	

СОДЕРЖАНИЯ

РАЗДЕЛ

РАЗДЕЛ III

❶ Гласные (한글의 기본 모음)

Гласные	Произношение	Очередь буквы	Практика				
ㅏ	a 아	ㅏ 1 2	ㅏ ㅏ	ㅏ ㅏ		사자 saja лев	
ㅑ	ya 야	ㅑ 1 2 3	ㅑ ㅑ	ㅑ ㅑ		야구 yagu бейсбол	
ㅓ	eo 어	ㅓ 1 2	ㅓ ㅓ	ㅓ ㅓ		머리 meori голова	
ㅕ	yeo 여	ㅕ 1 2 3	ㅕ ㅕ	ㅕ ㅕ		별 byeol звезда	
ㅗ	o 오	ㅗ 1 2	ㅗ ㅗ	ㅗ ㅗ		모자 moja шляпа	
ㅛ	yo 요	ㅛ 1 2 3	ㅛ ㅛ	ㅛ ㅛ		교회 gyohwoe церковь	
ㅜ	u 우	ㅜ 1 2	ㅜ ㅜ	ㅜ ㅜ		우유 uyu молоко	

Гласные	Произношение	Очередь буквы	Практика		
ㅠ	yu 유	ㅠ	ㅠ ㅠ ㅠ ㅠ	귤 gyul мандарин	
ㅡ	eu 으	ㅡ	ㅡ ㅡ ㅡ ㅡ	트럭 teureok грузовик	
ㅣ	i 이	ㅣ	ㅣ ㅣ ㅣ ㅣ	기차 gicha поезд	
ㅐ	ae 애	ㅐ	ㅐ ㅐ ㅐ ㅐ	개구리 kaeguri лягушка	
ㅒ	yae 얘	ㅒ	ㅒ ㅒ ㅒ ㅒ	얘 yae этот ребёнок	
ㅔ	e 에	ㅔ	ㅔ ㅔ ㅔ ㅔ	게 ge краб	
ㅖ	ye 예	ㅖ	ㅖ ㅖ ㅖ ㅖ	계단 gyedan лестница	

Гласные	Произношение	Очередь буквы	Практика				
ㅘ	wa 와	ㅘ (1, 2, 3, 4)	ㅘ ㅘ ㅘ ㅘ		과일 gwail фрукт		
ㅙ	wae 왜	ㅙ (1, 2, 3, 4, 5)	ㅙ ㅙ ㅙ ㅙ		돼지 dwaeji свинья		
ㅚ	oe 외	ㅚ (1, 2, 3)	ㅚ ㅚ ㅚ ㅚ		왼쪽 oenjjok левая сторона		
ㅝ	wo 워	ㅝ (1, 2, 3, 4)	ㅝ ㅝ ㅝ ㅝ		원숭이 wonsung-i обезьяна		
ㅞ	we 웨	ㅞ (1, 2, 3, 4, 5)	ㅞ ㅞ ㅞ ㅞ		웨이터 weiteo официант		
ㅟ	wi 위	ㅟ (1, 2, 3)	ㅟ ㅟ ㅟ ㅟ		귀 gwi ухо	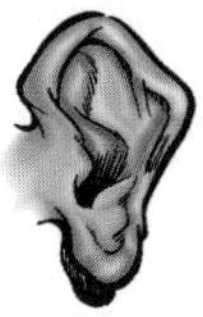	
ㅢ	ui 의	ㅢ (1, 2)	ㅢ ㅢ ㅢ ㅢ		의사 uisa врач		

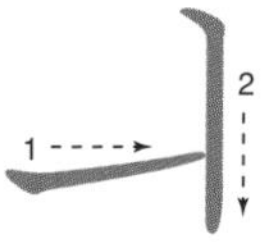

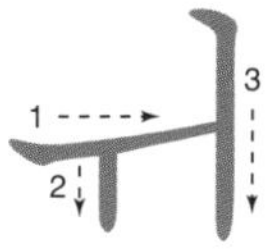

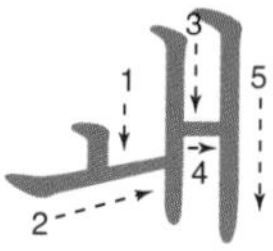

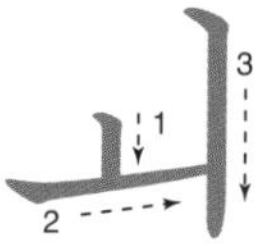

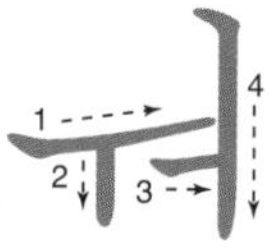

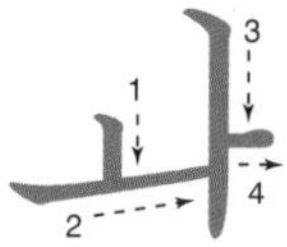

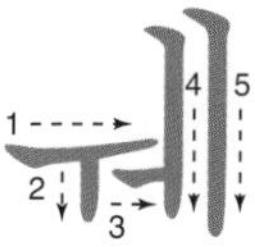

2 Согласные (한글의 기본 자음)

Гласные	Произношение	Очередь буквы	Практика			
ㄱ	g, k 〔giyeok〕	ㄱ (1)	ㄱ ㄱ ㄱ ㄱ		가위 gawi ножницы	
ㄴ	n 〔nieun〕	ㄴ (1)	ㄴ ㄴ ㄴ ㄴ		나비 nabi бабочка	
ㄷ	d, t 〔digeut〕	ㄷ (1, 2)	ㄷ ㄷ ㄷ ㄷ		도로 doro дорога	
ㄹ	r, l 〔rieul〕	ㄹ (1, 2, 3)	ㄹ ㄹ ㄹ ㄹ		로켓 roket ракета	
ㅁ	m 〔mieum〕	ㅁ (1, 2, 3)	ㅁ ㅁ ㅁ ㅁ		말 mal лошадь	
ㅂ	b, p 〔bieup〕	ㅂ (1, 2, 3, 4)	ㅂ ㅂ ㅂ ㅂ		바지 baji брюки	
ㅅ	s 〔siot〕	ㅅ (1, 2)	ㅅ ㅅ ㅅ ㅅ		사과 sagwa яблоко	

Гласные	Произношение	Очередь буквы	Практика		
ㅇ	ø, ng 〔ieung〕	ㅇ (1)	ㅇ ㅇ ㅇ ㅇ	아기 agi малютка	
ㅈ	j 〔jieut〕	ㅈ (1, 2)	ㅈ ㅈ ㅈ ㅈ	장미 jhangmi роза	
ㅊ	ch 〔chieut〕	ㅊ (1, 2, 3)	ㅊ ㅊ ㅊ ㅊ	책 chaek книга	
ㅋ	k 〔kieuk〕	ㅋ (1, 2)	ㅋ ㅋ ㅋ ㅋ	코 ko нос	
ㅌ	t 〔tieut〕	ㅌ (1, 2, 3)	ㅌ ㅌ ㅌ ㅌ	탑 tap башня	
ㅍ	p 〔pieup〕	ㅍ (1, 2, 3, 4)	ㅍ ㅍ ㅍ ㅍ	팔 pal рука	
ㅎ	h 〔hieut〕	ㅎ (1, 2, 3)	ㅎ ㅎ ㅎ ㅎ	하늘 haneul небо	

Согласные	Произношение	Очередь буквы	Практика				
ㄲ	kk 〔ssanggiyeok〕	ㄲ	ㄲ ㄲ	ㄲ ㄲ		꽃 kkot цветок	
ㄸ	tt 〔ssangdigeut〕	ㄸ	ㄸ ㄸ	ㄸ ㄸ		뚱보 ttungbo толстяк	
ㅃ	pp 〔ssangbieup〕	ㅃ	ㅃ ㅃ	ㅃ ㅃ		빵 ppang хлеб	
ㅆ	ss 〔ssangsiot〕	ㅆ	ㅆ ㅆ	ㅆ ㅆ		싸움 ssaum драка	
ㅉ	jj 〔ssangjieut〕	ㅉ	ㅉ ㅉ	ㅉ ㅉ		쪽지 jjokji ключок	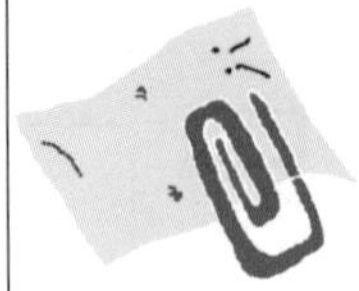

❸ Гласные в конце слов (받침)

Согласные	Произношение	Очередь буквы	Практика			
ㄱ	-k	ㄱ, ㅋ, ㄳ, ㄺ, ㄲ	학교 hakgyo школа		닭 dak курица	
ㄴ	-n	ㄴ, ㄵ, ㄶ	전화 jeonhwa телефон		많다 manta много	
ㄷ	-t	ㄷ, ㅅ, ㅆ, ㅈ, ㅊ, ㅌ, ㅎ	옷 ot одежда		빛 bit свет	
ㄹ	-l	ㄹ, ㄼ, ㄾ, ㅀ, ㄺ, ㄽ	얼굴 eolgul лицо		여덟 yeodeol восемь	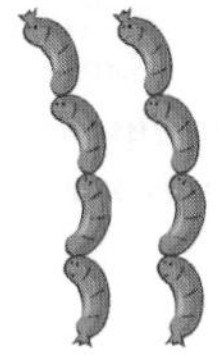
ㅁ	-m	ㅁ, ㄻ	담배 dambae папироса		젊다 jeomda молодой	
ㅂ	-p	ㅂ, ㅍ, ㅄ, ㄼ, ㄿ	접시 jeopsi тарелка		잎 ip лист	
ㅇ	-ng	ㅇ	종 jong колокол		병아리 byeong-ari цыплёнок	

한국의 전통 문화 Ⅰ

ТРАДИЦИОННАЯ КОРЕЙСКАЯ КУЛЬТУРА (Ⅰ)

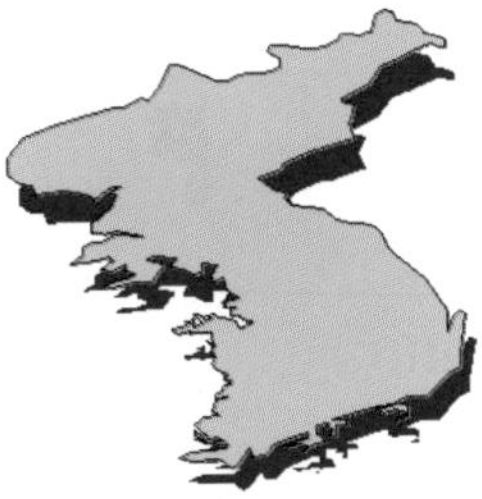

한국 지도
hanguk jido
Карта Кореи

태극기
taegeuk-gi
Национальный корейский флаг

널뛰기
neolttwigi
Традиционная корейская доска-каиели

댕기머리
daenggimeori
Традиционный стиль причёски для свадьбы

부채춤
buchaechum
Традиционный танец с веером

스님
seunim
священник, монах

상모돌리기
sangmodolligi
Традиционный танец с головным убором с лентами

신부
sinbu
Традиционный корейский костюм для невесты

살풀이춤
salpurichum
Традиционный танец для того, чтобы торить духу

가마
gama
Традиционные носилки

갓
gat
Традиционная шляпа

곰방대
gombangdae
Курение трубки

한국의 전통 문화 Ⅱ

ТРАДИЦИОННАЯ КОРЕЙСКАЯ КУЛЬТУРА (Ⅱ)

남대문
namdaemun
Южные ворота

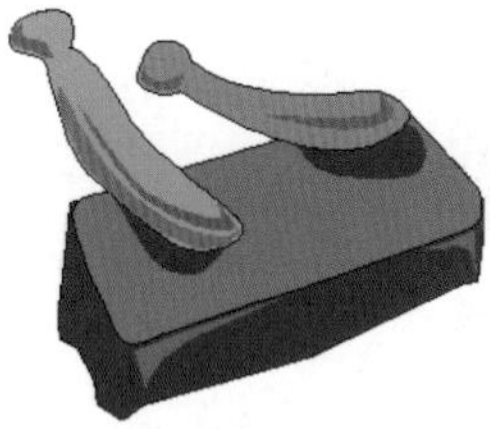

다듬이
dadeumi
Традиционный инструмент для распрямления складок на одежда

탑
tap
Пагода

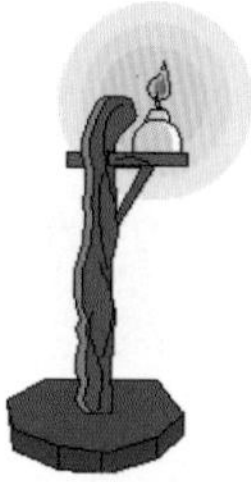

등잔
deungjan
Традиционная масляная лампа

떡
tteok
Рисовое печенье

맷돌
maetdol
Традиционны каменный жернов

화로
hwaro
Традиционная каменная кастрюля

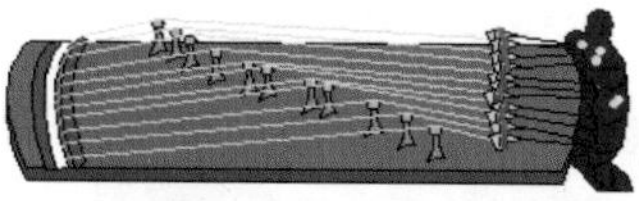

가야금
gayageum
Традиционный струнный инструмент

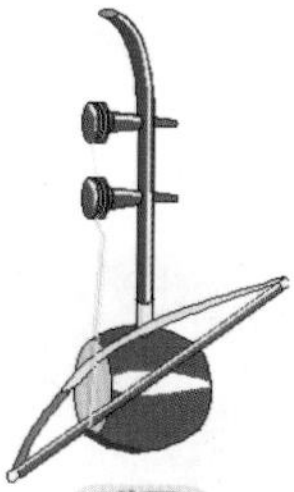

해금
haegeum
Традиционный струнный инструмент

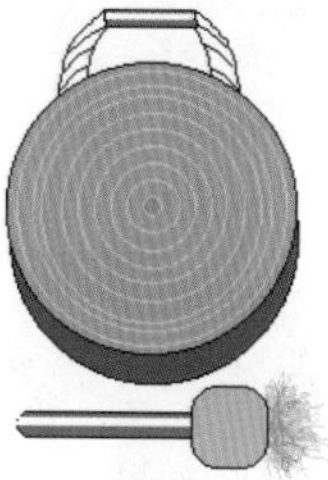

징
jing
Традиционный гонг

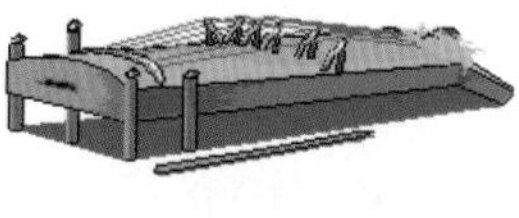

아쟁
ajaeng
Традиционный струнный инструмент

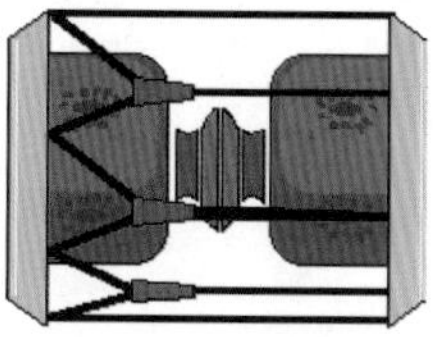

장구
jang-gu
Традиционный барабан

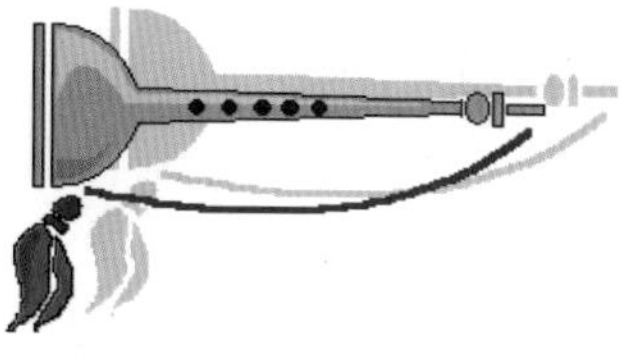

태평소
taepyeongso
Традиционный духовой инструмент

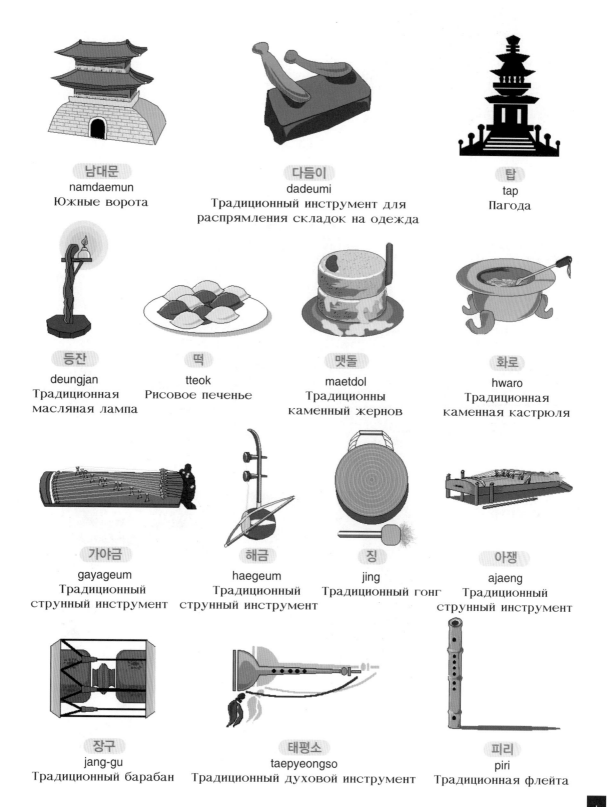

피리
piri
Традиционная флейта

■ черепичная крыша

■ центр Сеула

■ тэквондо

РАЗДЕЛ I

제 1 과

Урок 1

안녕하세요? Здравствуйте!

Ключевые Предложения

1. 안녕하세요? — Здравствуйте!
   annyeonghaseyo
2. 당신은 어느 나라 사람입니까? — Откуда Вы приехали?
   dangsineun eoneu nara saramimnikka

▪Диалоги▪

Диалог 1

수미: 안녕하세요? Здравствуйте!
annyeonghaseyo

헨리: 안녕하세요. Здравствуйте!
annyeonghaseyo

수미: 이름이 무엇입니까? Как Вас зовут?
ireumi mueosimnikka

헨리: 헨리입니다. Генри.
henriimnida

당신의 이름은 무엇이에요? Как Вас зовут?
dangsinui ireumeun mueosieyo

수미: 제 이름은 이수미입니다. Меня зовут Ли-Суми.
je ireumeun isumiimnida

만나서 반갑습니다. Рада с вами встретится.
mannaseo bangapseumnida

헨리: 만나서 반갑습니다. Рад с вами встретится.
mannaseo bangapseumnida

Диалог 2

수미: 당신은 어느 나라 사람입니까? Кто Вы по национальности?
dangsineun eoneu nara saramimnikka

헨리: 저는 나이지리아 사람입니다.
jeoneun naijiria saramimnida
Я-нигериец.

수미: 당신도 나이지리아 사람입니까?
dangsindo naijiria saramimnikka
А Вы тоже нигериец?

존슨: 아니오, 나이지리아 사람이 아닙니다.
anio naijiria sarami animnida
Нет, я не нигериец.

저는 미얀마 사람입니다.
jeoneun miyanma saramimnida
Я- бирманец.

■Слова и Фразы■

- 무엇입니까? что?
- 이름 имя
- 아니오 нет
- 아니다 нет
- 안녕하세요? привет, здравствуйте!
- 어느 какой
- 만나다 встретиться
- 사람 человек
- 나라 страна
- 제, 저, 나 мой(-ая, -оё)
- 당신, 너 Вы, Ты
- 이다 быть, являться
- 있다 есть, быть
- 반갑습니다 рад с вами встретится

Заучивание слов

미국 [miguk] США		나이지리아 [naijiria] Нигерия	
일본 [ilbon] Япония	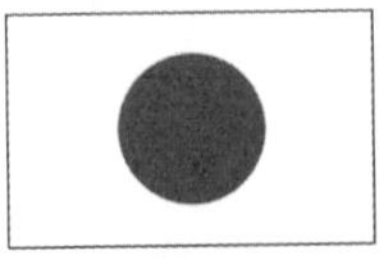	미얀마 [miyanma] Бирма	
중국 [jungguk] Китай		파키스탄 [pakistan] Пакистан	
호주 [hoju] Австралия		한국 [hanguk] Корея	

Структуры И Выражения

1 Выражение '안녕하세요?' употребляется в качестве приветствия.

2 Падежная частица '~이' указывает на то, что существительное является подлежащим в предложении.
Когда существительное оканчивается на согласный, употребляется '~이', а когда на гласный, употребляется '~가'.

~이 : частица именительного падежа
~가 : частица именительного падежа

책이 있습니다.
chaegi tseumnida
Есть книга.

이름이 무엇입니까?
ireumi mueosimnikka
Как Вас зовут?

시계가 있습니다.
sigyega itseumnida
Есть часы.

나무가 있습니다.
namuga itseumnida
Есть дерево.

3 Частица '은/는', присоединяясь к существительному, указывает на то, что существительное является подлежащим в предложении.
Когда существительное оканчивается на согласный, употребляется '~은', а когда на гласный- '~는'.

~은 : частица темы предложения **~는** : частица темы предложения

제 이름은 헨리입니다.
je ireumeun henriimnida
Моё имя генри.

나라 이름은 무엇입니까?
nara ireumeun mueoshimnikka
Как называется Ваша страна?

저는 나이지리아 사람입니다.
eoneun naijiria saramimnida
Я-нигериец.

수미는 한국 사람입니다.
sumineun hanguk saramimnida
Суми-кореянка.

4 Связка '~입니다', присоединяясь к существительному, выполняет роль глагола.

~입니다 : положительное окончание

수미입니다.
sumiimnida
Я- Суми.

케냐 사람입니다.
kenya saramimnida
Я из Кении.

5 '~까?' присоединяется к связке '~입니다' и придаёт предложению вопросительную форму.

~입니까?	: положительное окончание вопроса
~아닙니까?	: отрицательное окончание вопроса

어느 나라 사람입니까?
eoneu nara saramimnikka
Кто Вы по национальности?

이름이 무엇입니까?
ireumi mueosimnikka
Как Вас зовут?

한국 사람이 아닙니까?
hanguk sarami animnikka
Вы не кореец?

6 В корейском языке '예' употребляется как согласие 'Да' на русском языке, а '아니오' как отрицание 'Нет' на русском языке.

예 : Да	**아니오** : Нет

[Положительный вопрос]

당신은 미국 사람입니까? Вы американец?
dangshineun miguk saramimnikka

예, 미국 사람입니다. Да, американец.
ye miguk saramimnida

아니오, 미국 사람이 아닙니다. Нет, не американец.
anio miguk sarami animnida

[Отрицательный вопрос]

당신은 미국 사람이 아닙니까? Вы не американец?
dangsineun miguk sarami animnikka

아니오, 미국 사람입니다. Нет, американец.
anio miguk saramimnida

예, 미국 사람이 아닙니다. Да, не американец.
ye miguk sarami animnida

Упражнения

1 Составьте диалог, используя слова, данные в рамках.

(1) Вопрос : 이름이 무엇이에요?
Как Вас зовут?
Ответ : 제 이름은 헨리입니다.
Меня зовут Генри.

이수미 isumi
존슨 jonseun
영주 yeongju
야마다 yamada

(2) Вопрос : 당신은 어느 나라 사람입니까?
Откуда Вы приехали?
Ответ : 저는 나이지리아 사람입니다.
Я-нигериец.

미얀마 miyanma
중국 jungguk
한국 hanguk
러시아 reosia

2 Закончите следующие предложения, используя соответствующие слова, данные в скобках.

은,	는,	이,	가,	을,	를
eun	neun	i	ga	eul	reul

(1) 제 이름(　) 헨리입니다.
Меня зовут Генри.

(2) 책(　)있습니다.
Есть книга.

(3) 이름(　) 무엇입니까?
Как Вас зовут?

(4) 저(　) 나이지리아 사람입니다.
Я-нигериец.

(5) 당신(　) 어느 나라 사람입니까?
Откуда Вы приехали?

3 Ответите на вопрос в отрицательной или утвердительной форме.

Пример
Вопрос : 당신은 미국 사람입니까? — Вы американец?
Ответ : 예, 저는 미국 사람입니다. — Да, я американец.
아니오, 저는 미국 사람이 아닙니다. — Нет, я не американец.

(1) 당신은 나이지리아 사람입니까? (예) ______________________.
Вы нигериец?

(2) 당신은 한국 사람입니까? (아니오) ____________________.
Вы кореец?

(3) 당신은 미얀마 사람입니까? (예) ____________________.
Вы бирманец?

(4) 당신은 중국 사람입니까? (예 / 아니오) ____________________.
Вы китаец?

(5) 당신은 일본 사람입니까? (예 / 아니오) ____________________.
Вы японец?

Практика Чтения

(1) 당신의 이름은 무엇입니까?
Как Вас зовут?

(2) 제 이름은 이수미입니다.
Меня зовут Ли-Суми.

(3) 만나서 반갑습니다. 안녕히 계세요.
Рад с вами встретится. До свидания.

(4) 당신은 어느 나라 사람입니까?
Откуда Вы приехали?

(5) 저는 한국 사람입니다.
Я-кореец.

노랑색 ○	жёлтый	검은색 ●	чёрный
빨강색 ●	красный	흰 색 ○	белый
파란색 ●	синий	분홍색 ●	розовый
보라색 ●	фиолетовый	초록색 ●	зелёный
회 색 ●	серый	연두색 ●	желотоватый
주황색 ●	оранжевый	하늘색 ○	голубой

제 2 과
Урок 2

아버지의 직업은 무엇입니까?
Какая профессия у отца?

Ключевые Предложения

1. 아버지의 직업은 무엇입니까? abeojiui jigeobeun mueosimnikka — Какая профессия у отца?
2. 당신은 지금 무엇을 합니까? dangsineun jigeum mueoseul hamnikka — Что Вы сейчас делаете?

▪Диалоги▪

Диалог 1

수미: 당신의 가족을 소개해 주세요.
dangsinui gajogeul sogaehae juseyo
Пожалуйста, представьте мне Вашу семью.

헨리: 아버지, 어머니, 형, 동생이 있습니다.
abeoji eomeoni hyeong dongsaeng-i itseumnida
У меня есть отец, мать, старший брат и младший брат.

수미: 아버지의 직업은 무엇입니까?
abeojiui jigeobeun mueosimnikka
Какая профессия у Вашего отца?

헨리: 회사원입니다. Он –бизнесмен.
hoesawonimnida

Диалог 2

수미: 당신은 지금 무엇을 합니까?
dangsineun jigeum mueoseul hamnikka
Что Вы сейчас делаете?

헨리: 저는 태평양 대학교에서 한국어를 배웁니다.
jeoneun taepyeongyang daehakgyoeseo hangugeoreul baeumnida
Я изучаю корейский язык в Тэпёнгянг университете.

수미: 한국어는 재미있습니까?
hangugeoneun jaemiitseumnikka
Корейский язык- интересный?

헨리: 네, 어렵지만 재미있습니다.
ne eolyeopjiman jaemiitseumnida
Да, интересно, но трудно.

수미: 한국인 친구가 있습니까?
hangugin chin-guga itseumnikka
У Вас есть друг- кореец?

헨리: 네, 많습니다.
ne mansseumnida.
Да, у меня много друзей-корейцев.

■Слова и Фразы■

- 당신의 Ваш
- 소개하다 представить
- 아버지 отец
- 형 старший брат
- 직업 работа, профессия
- 지금 сейчас, теперь
- 대학교 университет
- 배우다 изучать/заниматься
- 한국인 кореец
- 많습니다 много
- 가족 семья
- 주다/주세요 давать/дайте
- 어머니 мать
- 동생 младший брат
- 회사원 бизнесмен
- 무엇을 합니까? что вы делаете?
- 한국어 корейский язык
- 재미있다 интересно
- 친구 друг
- 적습니다 мало

Заучивание слов

가족

할아버지
harabeoji
дедушка

할머니
halmeoni
бабушка

아버지
abeoji
отец

어머니
eomeoni
мать

오빠
старший брат у женщины
oppa

형
старший брат у мужчины
hyeong

언니
старшая сестра у женщины
eonni

누나
старшая сестра у мужчины
nuna

남동생
младший брат
namdongsaeng

여동생
младшая сестра
yeodongsaeng

직업

의사 врач
uisa

간호사 медсестра
ganhosa

경찰관 полицейский
gyeongchalgwan

소방관 пожарный
sobanggwan

가수 певец
gasu

아나운서 ведущий
anaunseo

Структуры И Выражения

1 Падежная частица '~의', присоединяясь к имени, указывает на принадлежность.

> **~의** : частица родительного падежа

당신의 가족
dangsinui gajok
Ваша семья

수미의 언니
sumiui eonni
сестра Суми

나의 직업
naui jigeop
моя профессия

자연의 아름다움
jayeonui areumdaum
красота природы

② Падежная частица '~을/를' чаще всего выполняет роль винительного падежа и является в предложении дополнением. Когда существительное оканчивается на согласный, употребляется '~을', когда на гласный '~를'.

가족을 : семью	**아버지를** : отца

가족을 소개해 주세요. gajogeul sogaehae juseyo Пожалуйста,представьте Вашу семью.	아버지를 소개해 주세요. abeojireul sogaehae juseyo Пожалуйста, представьте Вашего отца.

③ Вопросительное слово '무엇' используется спрашивать как 'что' на русском языке.

무엇을 합니까? : Что Вы делаете?

지금 무엇을 합니까? jigeum mueoseul hamnikka Что Вы сейчас делаете?	당신은 무엇을 합니까? dangsineun mueoseul hamnikka Что Вы делаете?
친구는 무엇을 합니까? chin-guneun mueoseul hamnikka	Что делает Ваш друг?

④ ~ㅂ니다/습니다' - традиционная официальная форма выражения в повествовательном предложении.
-ㅂ니까?/습니까?- традиционная официальная форма выражения в вопросительном предложении.

~ㅂ니다/습니다 : форма повествовательного предложения
~ㅂ니까?/습니까? : форма вопросительного предложения

이다. ida	입니다. imnida	быть.	있다. itda	있습니다. itseumnida	существовать.
	입니까? imnikka			있습니까? itseumnikka	

⑤ Личное местоимение '저' указывает на то, что слушатель занимает более высокое положение, чем говорящий.

	единственное	почтительное	множественное	почтительное
первое лицо	나 na	저 jeo	우리들 urideul	저희들 jeohuideul
второе лицо	너 neo	당신 dangsin	너희들 neohuideul	당신들 dangsindeul
третие лицо	그 geu	그분 geubun	그들 geudeul	그분들 geubundeul

6 Соедительное окончание '～지만' присоединяется к основе предиката и переводится на русском языке, как "но" или "хотя, но".

> **～지만** : хотя, но

어렵지만 재미있습니다. Трудно, но интересно.
eoryeopjiman jaemiitseumnida

힘들지만 재미있습니다. Тяжело, но интересно.
himdeuljiman jaemiitseumnida

Упражнения

1 Составьте следующие диалоги, используя слова в примерах.

(1) 아버지의 직업은 무엇입니까? Чем Ваш отец занимается?

> **Пример**
> 어머니 eomeoni 할아버지 harabeoji 할머니 halmeoni 형 hyeong 동생 dongsaeng

(2) 아버지의 직업은 의사입니다. Профессия отца-врач.

> **Пример**
> 선생님 seonsaengnim 운전기사 unjeongisa 회사원 hoesawon
> 경찰관 gyeongchalgwan 소방관 sobanggwan

(3) 한국어는 재미있습니까? Корейский язык Вам интересно?

Пример
중국어 junggugeo 영어 yeong-eo 일본어 ilboneo 미얀마 어 miyanmaeo 러시아 어 reosiaeo

(4) 친구가/이 많습니다. У меня много друзей.

Пример
나라 nara 형 hyeong 가족 gajok 회사 hoesa 동생 dongsaeng

2 Измените следующие выражения, используя вежливую форму как сказано в примере.

Пример
회사원이다. → 회사원입니다. Я-бизнесмен.

한국어를 배우다. → ____________________.

동생이 있다. → ____________________.

재미있다. → ____________________.

많다. → ____________________.

Практика Чтения

(1) 형의 직업은 무엇이에요?
Какая профессия у Вашего старшего брата?

(2) 헨리, 지금 무엇을 해요? Генри, что Вы сейчас делаете?

(3) 저는 태평양 대학교에서 한국어를 배워요.
Я изучаю корейский язык в Тэпёнгянг университете.

(4) 저는 한국인 친구가 많습니다. У меня много друзей- корейцев.

(5) 한국어는 재미있습니다. Корейский язык- интересный.

제 3 과

Урок 3

어디 있어요? Где находится?

Ключевые Предложения

1. 화장실이 어디 있어요? — Где находится туалет?
hwajangsiri eodi isseoyo

2. 약국 오른쪽에 있어요. — Он находится справа от аптеки.
yakguk oreunjjoge isseoyo

Диалоги

Диалог 1

헨리: 실례합니다. 화장실이 어디 있어요?
sillyehamnida hwajangsiri eodi isseoyo
Извините, где находится туалет?

사람: 저기 약국이 보여요?
jeogi yakgugi boyeoyo
Видите аптеку там?

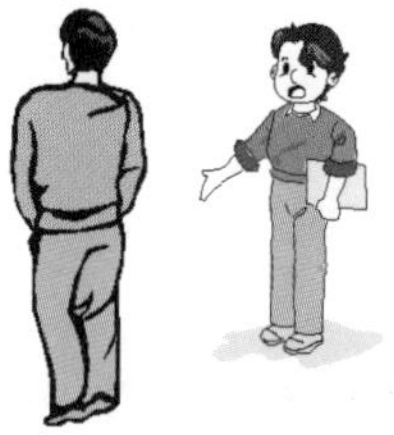

헨리: 네, 보여요.
ne, boyeoyo
Да, и вижу.

사람: 약국 오른쪽에 있어요.
yakguk oreunjjoge isseoyo
Он находится справа от аптеки.

헨리: 고맙습니다.
gomapseumnida
Спасибо.

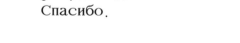

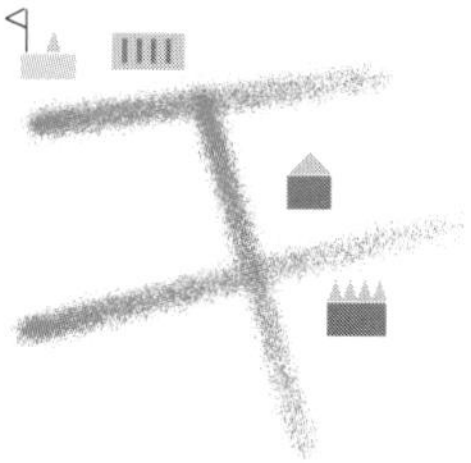

Диалог 2

헨리: 실례합니다. 경찰서가 어디 있어요?
sillyehamnida gyeogchalseoga eodi isseoyo
Извините, а где находится отделение полиции?

지갑을 잃어버렸어요.
jigabeul ireobeoryeosseoyo
Я потерял кошелёк.

사람: 저 쪽으로 한 블록 가세요.
jeo jjogeuro han beulleok gaseyo
Пройдите один блок в ту сторону.

대한 슈퍼 옆에 있어요.
daehan syupeo yeope isseoyo
Оно находится у супермакета Дэхана.

헨리: 감사합니다.
gamsahamnida
Спасибо.

▪Слова и Фразы▪

- 고맙습니다 спасибо
- 화장실 туалет
- 어디 где
- 실례합니다 извините
- 있어요? находится…?
- 저가 там
- 대한 슈퍼 Дэхан супермакет
- 이쪽 сюда, в эту сторону
- 감사합니다 спасибо
- 오른쪽에 справа
- 왼쪽에 слева
- 약국 аптека
- 지갑 кошелёк
- 잃어버리다 терять
- 경찰서 отделение полиции
- 있다 есть, находится
- 저쪽 туда, в ту сторону
- 보다 видеть, смотреть
- 옆에 рядом
- 한 один
- 블록 блок
- 가다/가세요 идти
- 잃어버렸어요 потерял

Заучивание слов

방향에 관한 단어 (Направления)

왼쪽 налева
oenjjok

오른쪽 направо
oreunjjok

저 쪽 туда, в ту сторону
jeo jjok

이 쪽 сюда, в эту сторону
ijjok

위치에 관한 단어 (Местонахождение)

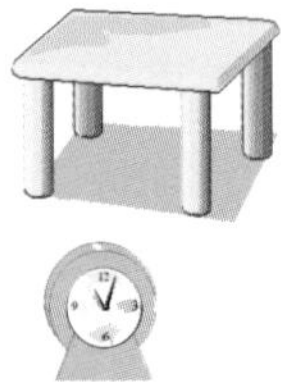

앞 впереди
ap

뒤 позади
dwi

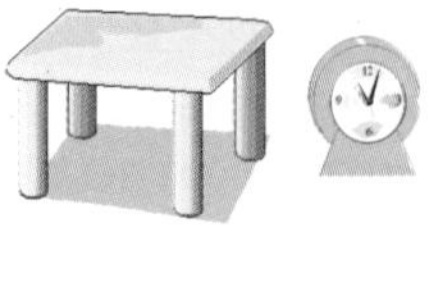

옆 рядом с/у
yeop

위 на
wi

아래 под
arae

안 в
an

Структуры И Выражения

1 '~요~', Нейтрально-официальная форма окончания сказуемого, которая может употребляться в повествовательном предложении, а '~요?' в вопросительном предложении. Интонация '~요?', где отсутствует вопросительное слово, повышается, а в предложении с вопросительным словом не повышается.

> **있다/있어요?** : есть , находится **보이다/보여요?** : видеть

화장실이 어디 있어요?
hwajangsiri eodi isseoyo
Где находится туалет?

약국이 보여요?
yakgugi boyeoyo
Видите аптеку?

2 Вопросительное слово '어디' соответствует слову 'где' или 'куда' на русском языке.

> **어디 있어요?** : Где находится?

어디 있어요?
eodi isseoyo
Где находится?

어디 가세요?
eodi gaseyo
Куда вы идёте?

3 '~요~', Нейтрально-официальная форма конечной сказуемой, которая может употребляться в повествовательном предложении, а '~요?' в вопросительном предложении. Интонация '~요?', где отсутствует вопросительное слово, повышается, а в предложении с вопросительным словом не повышается.

> **있어요** : есть, существовать, находиться

오른쪽에 있어요.
oreunjjoge isseoyo
Это находится справа.

슈퍼 앞에 있어요.
syupeo ape isseoyo
Это находится перед супермакетом.

4 Когда вы хотите выразить благодарность 'спасибо', используйте '고맙습니다' или '감사합니다'. Когда вы хотите извиниться, используйте '실례합니다', чтобы сказать 'ничего', используйте '괜찮습니다', и 'хорошо', '좋습니다'.

> **고맙습니다** : спасибо **감사합니다** : спасибо
> **실례합니다** : извините **괜찮습니다** : ничего
> **좋습니다** : хорошо

⑤ Служебный глагол ~버리다 после деепричастия предшествования имеет два значения. Во-первых, он указывает на полную исчерпанность действия, выраженного деепричастием. Во-вторых, глагол '~버리다' может указывать на то, что действие, выраженное деепричастием, охватывает весь данный предмет или распространяется на все предметы данного множества без остатка.

잃어버리다 / 잃어버렸어요 : терять / потерял

잃다+버리다 → 잃어버리다. терять
ilta+beorida ireobeorida

잃어버리+었+어요 → 잃어버렸어요. потерял
ireobeori+eot+eoyo ireobeoryeosseoyo

죽다+버리다 → 죽어버리다. умирать
jukda+beorida jugeobeorida

죽어버리+었+어요 → 죽어버렸어요. умер
jugeobeori+eot+eoyo jugeobeoryeosseoyo

⑥ Почтительный суффикс ~시~ присоединяется к основе глагола и подчёркивает уважение к субъекту.

가다 / 가세요 : идти / пожалуйста, идите!

가(다)+시+어요 → 가세요. Пожалуйста, идите!
gaseyo

오(다)+시+어요 → 오세요. Приходите.
oseyo

Упражнения

1 Закончите следующие диалоги, используя слова в рамках.

Пример

- 강의실 аудитория
- 백화점 универмаг
- 공중전화 телефон-автомат
- 우체국 почта
- 동사무소 горсовет, райсовет
- 은행 банк
- 모텔 мотель
- 사무실 офис
- 공원 парк
- 버스정류장 автобусная остановка
- 지하철 метро
- 공장 фабрика
- 병원 больница
- 편의점 магазин

Упражнения

(1) ___________이/가 어디 있어요? ___________이/가 어디 있어요?
(2) ___________이/가 어디 있어요? ___________이/가 어디 있어요?
(3) ___________이/가 어디 있어요? ___________이/가 어디 있어요?
(4) ___________이/가 어디 있어요? ___________이/가 어디 있어요?

2 Составьте следующие предложения со словами направления.

(1) ___________에 있어요. (2) ___________에 있습니다.
(3) ___________에 있어요. (4) ___________에 있습니다.
(5) ___________에 있어요. (6) ___________에 있습니다.

3 Составьте следующие предложения со словами местоимения.

(1) ___________에 있어요. (2) ___________에 있습니다.
(3) ___________에 있어요. (4) ___________에 있습니다.
(5) ___________에 있어요. (6) ___________에 있습니다.

4 Составьте следующие предложения, используя соответствующие слова.

가: 공원이 _______________? 가: ___________이 어디 있어요?
나: ___________에 있어요. 나: 왼쪽에 _______________.

Практика Чтения

(1) 동사무소가 어디 있어요? Где находится горсовет?

(2) 저 쪽으로 가세요. Идите туда.

(3) 슈퍼 오른쪽에 있어요. Это находится справа от супермакета.

(4) 가방을 잃어버렸어요. Я потерял портфель.

(5) 경찰서 앞에 있어요. Это находится перед отделением полиции.

НАЦИОНАЛЬНЫЕ ПРАЗДНИКИ (공휴일) [gonghyu-il]

- **설날** [seolnal] (Первое января по лунному календарю: Новый год по лунному календарю)
  Первое января по лунному календарю, которое является одним из самых больших праздников в Корее, называется 'Сол' (설). Все члены семьи надевают национальные костюмы 'Ханвок' (한복) и выполняют старинные ритуалы.
- **3·1절** [samiljeol] (Первое марта: День движения за независимость)
  В этот день отмечают декларацию независимости, которую объявили первого марта 1919 года, когда страна находилась под японской оккупацией. Декларация зачитывается во время специальной церемонии в парке Тапкол.
- **식목일** [sikmogil] (Пятое апреля: День древонасаждения)
  Деревья сажают по всей стране как часть государственной программы восстановления лесных массивов.
- **어린이날** [eorininal] (Пятое мая: День детей)
  В этот день проводятся различные мероприятия для детей. В парках, зоопарках, различных местах отдыхах много радостных и нарядно одетых детей.
- **석가탄신일** [seokgatansinil] (Восьмое апреля по лунному календарю: День рождения Будды)
  По всей стране во многих буддийских храмах совершают торжественную службу, улицы и дворы храмов украшают фонарями. Вечером эти фонари проносятся парадом.
- **광복절** [gwangbokjeol] (Пятнадцатое августа: День освобождения)
  В этот день отмечают капитуляцию Японии, в результате которой была освобождена Корея в 1945 году.
- **추석** [chuseok] (Пятнадцатое августа по лунному календарю: День Благодарения в Корее.)
  Этот день является самым важным традиционным праздником в году. Он отмечается пятнадцатого числа восьмого месяца календарю. В этот день празднуют урожай и благодарят землю за щедрость. Люди посещают семейные могилы и приносят для предков зерно и фрукты нового урожая.
- **크리스마스** [keurismas] (Рождество)
  Как и во многих странах мира, Рождество является национальным праздником в Корее.

제 4 과

Урок 4

이것은 한국어로 무엇입니까?

Как по-корейски?

Ключевые Предложения

1. 이것은 무엇입니까? — Что это?
   igeoseun mueosimnikka
2. 이것은 한국어로 무엇입니까? — Как это называется по-корейски?
   igeoseun hangugeoro mueosimnikka

▪Диалоги▪

Диалог 1

헨리: 이것은 무엇입니까?
igeoseun mueosimnikka
Что это?

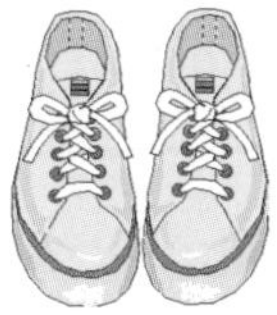

수미: 그것은 운동화입니다.
geugeoseun undonghwaimnida
Это-кроссовки.

헨리: 그러면, 저것은 무엇이에요?
geureomyeon jeogeoseun mueosieyo
Тогда, что то?

수미: 가방입니다. Это-сумка.
gabang-imnida

헨리: 가방이 예쁘군요. Сумка-красива.
gabang-i yeppeugunyo

Диалог 2

헨리: 이것은 한국어로 무엇입니까?
igeoseun hangugeoro mueosimnikka
Как это называется по-корейски?

수미: 목걸이입니다. Это- ожерелье.
mokgeoriimnida

헨리: 이것은 한국어로 바지입니까?
igeoseun hangugeoro bajiimnikka
Это называется 바지 по-корейски?

수미: 아니오, 그것은 바지가 아닙니다.
anio geugeoseun bajiga animnida
Нет, это не брюки.

치마입니다.
chimaimnida
Это юбка.

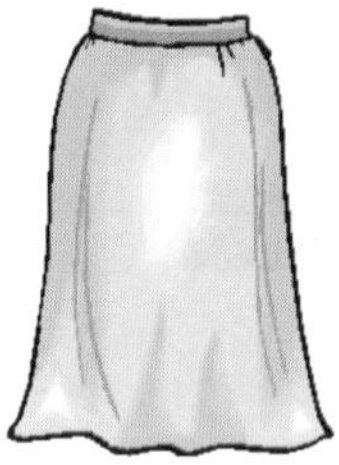

■Слова и Фразы■

- 이것 это
- 저것 то
- 무엇 что
- 이다/입니다 является
- 이에요? является?
- 무엇입니까? что?
- 운동화 кроссовки
- 그러면 тогда
- 목걸이 ожерелье
- 한국어로 по-корейски
- 한국어 корейский язык
- 예쁘다 красивый
- 가방 сумка
- 아니오 нет
- 아닙니다 нет
- 치마 юбка
- 바지 брюки

Заучивание слов

Личные вещи

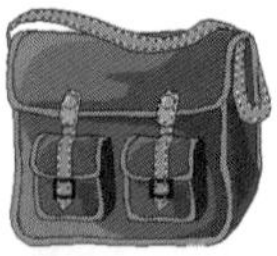
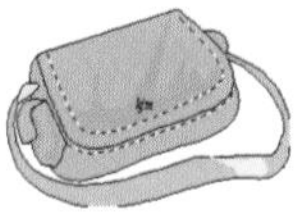

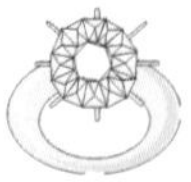

시계 часы
sigye

가방 сумка
gabang

핸드백 дамская сумочка
haendbaek

지갑 кошелёк
jigap

반지 кольцо
banji

목걸이 ожерелье
mokgeori

팔찌 браслет
paljji

Виды ботинок

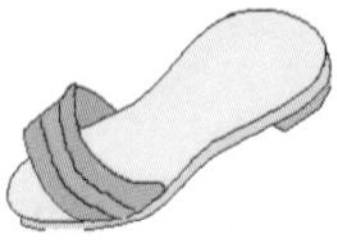

운동화 кроссовки
undonghwa

구두 туфли
gudu

부츠 сапоги
bucheu

슬리퍼 тапочки
seulripeo

샌들 сандалие
sandeul

Виды одежды

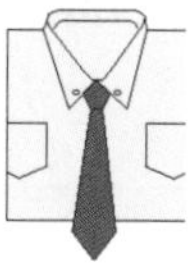

셔츠
рубашка
syeocheu

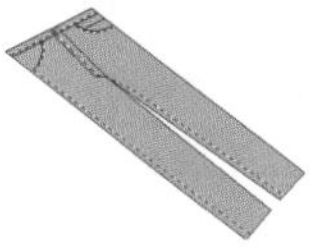

바지
брюки
baji

원피스
платье
wonpis

투피스
костюм-пвойка
tupis

양복
костюм
yangbok

잠옷
пижама
jamot

블라우스 блузка beulraus	재킷 жакет jaekit	치마 юбка chima	코트 пальто kot	운동복 спортивный костюм undongbok

Корейская традиционная одежда

한복 Корейское традиционное платье
hanbok

버선 носки
beoseon

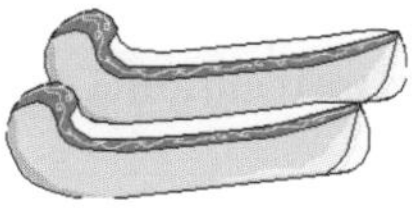

고무신 резиновые топочки
gomusin

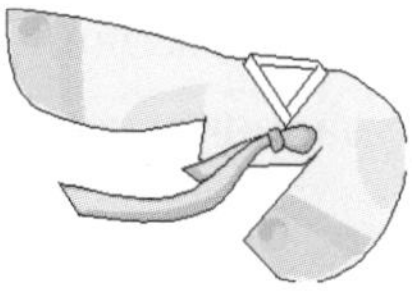

고름 петля
goreum

Структуры И Выражения

1 В корейском языке есть три характерных указательных местоимении. '이것' обозначает предмет, который находится близко от говорящего. '그것' обозначает предмет, который находится близко от слушателя или что-нибудь уже сказанное или известное говорящему. '저것' обозначает предмет, который находится далеко от говорящего и слушателя.

이것 : это **그것** : то **저것** : то

이것은 무엇입니까?
igeoeun mueosimnikka
Что это?

저것은 무엇입니까?
jeogeoseun mueosimnikka
Что то?

그것은 무엇입니까? Что то?
geugeoseun mueosimnikka

2 '~이에요?' -неофициальная форма выражения в вопросительном предложении. '~입니까?' -традиционная официальная форма выражения в вопросительном предложении.

무엇입니까? : Что? **무엇이에요?** : Что?

이것은 무엇입니까?
igeoseun mueosimnikka
Что это?

이것은 무엇이에요?
igeoseun mueosieyo
Что это?

3 '~요~' нейтрально-вежливая форма окончания сказуемого, которая может употребляться как в повествовательном так и в вопросительном предложении. В предложении, где отсутствует вопросительное слово типа '무엇', '언제' и.т д. и интонация в конце предложения повышается, а в предложении, где присутствует вопросительное слово такого рода, ударение(повышение интонации) делается на них.

이것은 바지입니까? : Вот это 바지? **이것은 바지예요?** : Вот это 바지?

이것은 바지입니다. → 이것은 바지입니까?
igeoseun bajiimnida igeoseun bajiimnikka
Вот это 바지. Вот это 바지?

이것은 바지예요. → 이것은 바지예요?
igeoseun bajiiyeo igeoseun bajiyeyo
Вот это 바지. Вот это 바지?

4 Окончание заключительной формы '~군요' присоединяется к глаголам и выражает удивление или восклицание.К качественным глаголам присоединяется - 군요, а к глаголам действия - 는 군요

예쁘군. → 예쁘군요. : Вот красивый. → Вот красивый.

예쁘다. 예쁘군. → 예쁘군요. Вот красивый.
yeppeuda yeppeugun yeppeugunyo

아름답다. 아름답군. → 아름답군요. Вот красивый.
areumdapda areumdapgun areumdapgunyo

5 Отрицательной формой связки - 이다 является 이/가 아니다.

아니오, 이것은 바지가 아닙니다. : Нет, это не брюки.

아니오, 이것은 치마가 아닙니다. Нет, это не юбки.
anio igeoseun chimaga animnida

아니오, 이것은 목걸이가 아닙니다. Нет, это не ожерелье.
anio igeoseun mokgeoriga animnida

Упражнения

1 Ответьте на вопрос в рамке, используя слова в скобках.

Вопрос
Вопрос **1** : 이것은 무엇입니까? Что это?
Вопрос **2** : 저것은 무엇입니까? Что то?

(1) 그것은 ____________ .(한복 корейское традиционное платье)
(2) 저것은 ____________ .(색동저고리 корейское традиционное цветное платье)
(3) 그것은 ____________ .(치마 юбка)
(4) 저것은 ____________ .(버선 носки)

2 Закончите следующие предложения как показано в примере.

Пример
이것은 시계입니다. Это- часы.

(1) ________ 목걸이 __________ .
(2) ________ 반지 __________ .
(3) ________ 바지 __________ .
(4) ________ 치마 __________ .
(5) ________ 운동화 __________ .
(6) ________ 가방 __________ .

3 Закончите предложения как показано в примере.

Пример
перо는 한국어로 무엇입니까?. Как называется перо по-корейски?

(1) юбка는 한국어로 __________ .
(2) брюки는 한국어로 __________ .
(3) ожерелье는 한국어로 ______ .
(4) сумка은 한국어로 __________ .

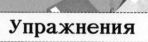

4 Составьте следующие предложения в вопросительной форме как показано в примере.

Пример
이것은 한국어로 운동화입니다. Это 운동화 по-корейски.
→ 이것은 한국어로 운동화입니까? Это 운동화 по-корейски?

(1) 이것은 한국어로 컴퓨터입니다. Это называется 컴퓨터 по-корейски.
→ ______________________?

(2) 이것은 한국어로 프린터입니다. Это называется 프린터 по-корейски.
→ ______________________?

(3) 이것은 한국어로 모니터입니다. Это называется 모니터 по-корейски.
→ ______________________?

(4) 이것은 한국어로 키보드입니다. Это называется 키보드 по-корейски.
→ ______________________?

5 Составьте следующие предложения в отрицательной форме.

(1) 이것은 치마입니다. Это- юбка.
→ ______________________.

(2) 이것은 바지입니다. Это- штаны.
→ ______________________.

(3) 이것은 재킷입니다. Это- жакет.
→ ______________________.

(4) 이것은 양복입니다. Это- пиджак.
→ ______________________.

Практика Чтения

(1) 이것은 운동화입니다. Это кросовки.

(2) 저것은 컵이 아닙니다. Это не стакана.

(3) 이것은 한국어로 무엇입니까? Как это называется по-корейски?

(4) 저것은 접시, 포크, 나이프입니다. Это тарелка, вилка и нож.

(5) 이 접시는 참 예쁘군요. Эта тарелка- очень красива.

제 5 과

Урок 5

어느 계절을 좋아해요?

Какое время года вы любите?

Ключевые Предложения

1. 어느 계절을 좋아해요? — Какое время года Вы любите?
   eoneu gyejeoreul joahaeyo
2. 오늘은 날씨가 흐리군요. — Сегодня – пасмурно.
   oneureun nalssiga heurigunyo

Диалоги

Диалог 1

수미: 헨리 씨는 어느 계절을 좋아해요?
henri ssineun eoneu gyejeoreul joahaeyo
Генри, какое время года Вы любите?

헨리: 가을을 좋아해요.
gaeureul joahaeyo
Я люблю осень.

가을은 시원해요.
gaeureun siwonhaeyo
Осень – прохладно.

수미: 어느 계절을 싫어해요?
eoneu gyejeoreul sireohaeyo
Какое время года Вы не любите?

헨리: 겨울을 싫어해요.
gyeoureul sireohaeyo
Я не люблю зиму.

겨울은 추워요.
gyeoureun chuwoyo
Зима – холодно.

Диалог 2

수미: 오늘은 날씨가 흐리군요.
oneureun nalssiga heurigeunyo
Сегодня – облачно.

헨리: 비가 올 것 같아요.
biga ol geot gatayo
Кажется, будет дождь.

수미: 우산 가져왔어요?
usan gajyeowasseoyo
Вы взяли с собой зонтик?

헨리: 네, 가져왔어요.
ne gajyeowasseoyo
Да, принёс.

일기예보를 보았어요.
ilgi yeboreul boasseoyo
Я смотрел прогноз погоды.

▪Слова и Фразы▪

- 어느 какой
- 좋아해요 люблю
- 춥다 холодно
- 오늘 сегодня
- 비 дождь
- 가을 осень
- 시원하다 прохладно
- 흐리다 облачно
- 일기예보 прогноз погоды
- 계절 время года
- 덥다 жарко
- 날씨 погода
- 겨울 зима
- 우산 зонтик
- ~인 것 같아요 кажется, что
- 보다/보았어요 смотреть/ смотрел.
- 가져오다/가져왔어요 взять/взял с собой
- 싫어해요 не люблю, ненавижу

Заучивание слов

Времени года

봄 весна
bom

여름 лето
yeoreum

가을 осень
gaeul

겨울 зима
gyeoul

Погода

해 солнце
hae

맑음 ясный
malgeum

구름 облако
gureum

흐림 пасмурно
heurim

비 дождь
bi

눈 снег
nun

Структуры И Выражения

1 Вопросительное слово ‘어느’ используется при выборе.

어느 : какой

어느 계절을 좋아해요?
eoneu gyejeoreul joahaeyo
Какое время года Вы любите?

어느 모자를 좋아해요?
eoneu mojareul joahaeyo
Какая шляпа Вам нравится?

2 Суффикс прошедшего времени ～았/었/였, присоединяясь к глагольной основе, выражает законченное действие. Когда глагольная основа на ‘～오’ или ‘～아’, употребляется ‘～았～’, а когда на другой гласный, употребляется ‘～었～’, причём, когда глагольная основа на ‘하～’, употребляется ‘～였～’.

～았 / 었 / 였 : 과거시제 суффикс прошедшего времени

보았어요. смотрел
boasseoyo

알았어요. узнал
arasseoyo

먹었어요. ел
meogeosseoyo

배웠어요. изучал
baewosseoyo

하였어요. делал
hayeosseoyo

3 Причастие ‘～것 같다’, присоединяясь к глагольной основе, обозначает предположение ‘кажется’. Предикатив может иметь форму любого причастия в зависимости от времени совершения действия. Причастная форма ‘～는’ в составе ‘～것 같다’ выражает текущий процесс или привычное действие.

～것 같다 / ～것 같아요 : Кажется, что-

비가 올 것 같아요.
biga ol geot gatayo
Кажется, будет дождь.

눈이 올 것 같아요.
nuni ol geot gatayo
Кажется, поидёт снег.

존이 한 것 같아요.
joni han geot gatayo
Кажется, Джон сделал это.

4 Причастная форма ‘~ㄹ/~을 것 같다’ выражает значение будущей вероятности события или действия, которое на русский язык переводится как слово ‘кажется’. Причастная форма ‘~(으)ㄴ’ в составе ‘~것 같다’ обозначает завершённое действие.

올 것 같아요 : Кажется, будет ….
온 것 같아요 : Кажется, был ….

비가 올 것 같아요.
biga ol geot gatayo
Кажется, будет дождь.

비가 온 것 같아요.
biga on geot gatayo
Кажется, был дождь.

5 Выражения, связанные с временами года.

봄은 따뜻합니다.
bomeun ttatteuthamnida
Весна-тёплая.

여름은 덥습니다.
yeoreumeun deopseumnida
Лето-жаркое.

가을은 시원합니다.
gaeureun siwonhamnida
Осень-прохладная.

겨울은 춥습니다.
gyeoureun cheupsseumnida
Зима-холодная.

6 Выражения, связанные с погодой.

비가 옵니다.
biga omnida
Идёт дождь.

눈이 옵니다.
nuni omnida
Идёт снег.

바람이 붑니다.
barami bumnida
Ветер дует.

천둥이 칩니다.
cheondung-i chimnida
Гром гремит.

7 Обращение по имени дополняется частицей ‘~씨’.

수미 씨
sumi ssi
Суми

헨리 씨
henri ssi
Генри

1 Ответьте на следующие вопросы.

Вопрос

Вопрос **1** : 당신은 어느 계절을 좋아해요? Какое время года Вы любите?
Вопрос **2** : 당신은 어느 계절을 싫어해요? Какое время года Вы не любите?

저는	봄 여름 가을 겨울	을 좋아해요. Я люблю ( ). 을 싫어해요. Я не люблю ( ).

2 Составьте следующие предложения как показано в примере.

Пример

Вопрос : 오늘 날씨가 어때요?(춥다) Какая погода сегодня?
Ответ : 오늘 날씨는 <u>추워요</u>. Сегодня-холодно.

(1) 흐리다. пасмурно.
(2) 덥다. жарко.
(3) 비가 오다. идёт дождь.
(4) 맑다. ясно.
(5) 눈이 오다. идёт снег.

3 Составьте следующие предложения как показано в примере.

Пример

Вопрос : <u>우산</u>을 가져왔어요? (우산) Вы принесли зонтик?

(1) 책 книга
(2) 가방 портфель
(3) 펜 ручка
(4) 시계 часы
(5) 휴지 туалетная бумага

4 Составьте следующие предложения, используя форму прошедшего времени.

(1) 일기 예보를 보다. смотреть прогноз погоды.

(2) 밥을 먹다. есть сваренный рис.

(3) 학교에 가다. идти в школу.

(4) 가을을 좋아하다. любить осень.

(5) 친구를 만나다. встретиться с другом.

Практика Чтения

(1) 어느 계절을 좋아해요? Какое время года Вы любите?

(2) 오늘은 날씨가 흐리군요. Сегодня-пасмурно.

(3) 여름은 너무 더워요. Лето-слишком жаркое.

(4) 우산을 가져왔어요. Я взял с собой зонтик.

(5) 저는 겨울을 싫어해요. Я не люблю зиму.

제 6 과

Урок 6

생일이 언제예요?

Когда у Вас день рождения?

Ключевые Предложения

1. 오늘은 금요일이에요.
   oneureun geumyoirieyo
   Сегодня- пятница.
2. 제 생일은 5월 23일이에요.
   je saeng-ireun owol isipsamirieyo
   Мой день рождения - 23-е Мая.

▪Диалоги▪

Диалог 1

헨리: 어제는 무엇을 했어요?
eojeneun mueoseul haesseoyo
Что Вы делали вчера?

수미: 어제는 도서관에서 공부를 했어요.
eojeneun doseogwaneseo gongbureul haesseoyo
Вчера я занималась в библиотеке.

헨리: 오늘은 무슨 요일이에요?
oneureun museun yoirieyo
Сегодня какой день?

수미: 오늘은 금요일이에요.
oneureun geumyoirieyo
Сегодня-пятница.

헨리: 내일은 학교에 갈 거예요?
naeireun hakgyoe gal geoyeyo
Вы пойдёте завтра в школу?

수미: 아니오, 내일은 집에 있을 거예요.
anio naeireun jibe isseul geoyeyo
Нет, я буду дома.

5월

일 (SUN)	월 (MON)	화 (TUE)	수 (WED)	목 (THU)	금 (FRI)	토 (SAT)
	1	2	3	4	5	6
7	8	9	10	11	12	13
14	15	16	17	18	19	20
21	22	23	24	25	26	27
28	29	30	31			

Диалог 2

헨리: 수미 씨, 생일이 언제예요?
sumi ssi saeng-iri eonjeyeyo
Суми, а когда у Вас день рождения?

수미: 제 생일은 5월 23일이에요.
je saeng-ireun owol isipsamirieyo
Мой день рождения- 23-е Мая.

헨리: 모레군요. 우리 생일 파티해요.
moregunnyo. uri saeng-il patihaeyo
Это послезавтра.
Давайте устроим вечеринку дня рождения!

수미: 모레 저녁 7시에 우리 집에 오세요.
more jeonyeok ilgopsie uri jibe oseyo
Приходите к нам в гости
послезавтра в 7 часов вечера.

▪Слова и Фразы▪

- 어제 вчера
- 무슨, 무엇 какой
- 언제 когда
- 일, 요일 день
- 내일 завтра
- 갈 거예요? пойдёте?
- 집 дом
- 오다/오세요 приходите
- 생일파티 вечеринка по случаю дня рождения
- 우리~해요 давайте сделать
- 모레 послезавтра
- 생일 день рождения
- 7시 в 7 часов
- 도서관 библиотека
- ~에서 от, из-
- 오늘 сегодня
- 금요일 пятница
- 아니오 нет
- ~에 в
- 23일 23-е
- 저녁 вечер
- 우리 мы
- 학교 школа
- 공부 учёба
- 5월 Май

Заучивание слов

День

일요일 iryoil	월요일 woryoil	화요일 hwayoil	수요일 suyoil	목요일 mogyoil	금요일 geumyoil	토요일 toyoil
воскресенье	понедельник	вторник	среда	четверг	пятница	суббота

그저께 (geujeokke)	позавчера
어제 (eoje)	вчера
오늘 (oneul)	сегодня
내일 (naeil)	завтра
모레 (more)	послезавтра

Месяцы

1월	Январь	일월(ilwol)	7월	Июль	칠월(chilwol)
2월	февраль	이월(iwol)	8월	Август	팔월(palwol)
3월	Март	삼월(samwol)	9월	Сентябрь	구월(guwol)
4월	Апрель	사월(sawol)	10월	Октябрь	시월(siwol)
5월	Май	오월(owol)	11월	Ноябрь	십일월(sibilwol)
6월	Июнь	유월(yuwol)	12월	Декабрь	십이월(sibiwol)

Структуры И Выражения

1. форма ‘무슨’ из ‘무엇’, переводится на русский язык как ‘какой’.

무슨 요일이에요? : Сегодня какой день?

이것은 무엇입니까?
igeoseun mueosimnikka
Что это?

오늘은 무슨 요일이에요?
oneureun museun yoirieyo
Сегодня какой день?

2. Неофициальная связка ‘~이에요’, присоединяясь к существительному, используется, когда существительное оканчивается на гласный, а когда существительное оканчивается на согласный, используется ‘~예요’. Они оба используются и в вопросительном, и в повествовательном предложении.

언제예요? : Когда? **23일이에요.** : 23-е.

생일이 언제예요?
saeng-iri eonjeyeyo
Когда у Вас день рождения?

제 생일은 5월 23일이에요.
je saeng-ireun owol isipsamirieyo
Мой день рождения- 23-е Мая.

3. форма ‘~(으)ㄹ 것/~(을) 리’, присоединяясь к глагольной основе предложения с подлежащим, выражает будущее время или предложение. ‘~(으)ㄹ 것이에요’ является неофициальным окончанием заключительной формы и часто используется его сокращённая форма ‘~(으)ㄹ 거예요’, что связано с произношением.

학교에 갈 거예요. : Я пойду в школу.

집에 갈 거예요. (갈 것입니다.)
jibe gal geoyeyo
Я пойду домой.

집에 있을 거예요. (있을 것입니다.)
jibe isseul geoyeyo
Я буду дома.

공부를 할 거예요. (할 것입니다.)
gongbureul hal geoyeyo
Я буду заниматься.

저녁을 먹을 거예요. (먹을 것입니다.)
jeonyeogeul meogeul geoyeyo
Я буду ужинать.

4 Вопросительное слово '언제' обозначает 'когда'.

생일은 언제예요? : Когда у Вас день рождения?

파티는 언제예요?
patineun eonjeyeyo
Когда будет вечеринка?

방학은 언제예요?
banghageun eonjeyeyo
Когда у Вас каникулы?

5 Частица '~에', присоединяясь к существительному, обозначает время, место или направление. Частица '~에서' обозначает только место, а когда она употребляется с глаголами, имеет значение 'из' или 'в чём'.

도서관에서 в библиотеке
doseogwaneseo

학교에 в школе
hakgyoe

집에 дома
jibe

7시에 в 7 часов
ilgopsie

6 Почтительное окончание '우리+~요', присоединяясь к глагольной основе, употребляется тогда, когда говоряший побуждает слушателя выполнить какое-нибудь действие с ним.

우리 ~ глагольная основа + 요 : Давайте ( )

우리 생일 파티해요.
uri saeng-il patihaeyo
Давайте устроим вечеринку по случаю дня рождения.

우리 학교에 가요.
uri hakgyoe gayo
Давайте пойдём в школу.

우리 집에 가요.
uri jibe gayo
Давайте пойдём домой.

우리 텔레비전 봐요.
uri tellebijyeon bwayo
Давайте посмотрим телевизор.

1 Составьте вопрос и ответ, используя слова как показано в примере.

(1)

Пример

Вопрос : 오늘은 무슨 요일입니까? (화요일) Сегодня какой день?

Ответ : 오늘은 화요일입니다. Сегодня-вторник.

① 월요일 понедельник ② 수요일 среда

③ 금요일 пятница ④ 토요일 суббота

⑤ 일요일 воскресенье

(2)

Пример

Вопрос : 내일은 어디에 갈 거예요? (학교) Куда Вы собираетесь пойти завтра?

Ответ : 학교에 갈 거예요. Я собираюсь пойти в школу.

① 친구 집 дом друга ② 도서관 библиотека

③ 회사 компания ④ 교회 церковь

⑤ 시장 рынок

2 Закончите предложения, используя предложенные даты.

Пример

Вопрос : 생일은 언제예요? Когда у Вас день рождения?

Ответ : 제 생일은 (   )이에요. Мой день рождения (   ).

(1) 5월 23일 (2) 1월 12일 (3) 2월 5일 (4) 12월 31일

(5) 3월 7일 (6) 10월 17일 (7) 8월 28일

3 Составьте предложения в отрицательной форме.

(1) 학교에 가다. идти в школу.

(2) 친구를 만나다. встретиться с другом.

(3) 주스를 마시다. пить сок.

(4) 한국어를 배우다. изучать корейский язык.

(5) 친구를 만나다. встретиться с другом.

4 Составьте предложения в пригласительной форме, используя следующую структуру.

> **Пример**
> 우리 ~ корень глаголов + 요

(1) 생일 파티하다. отмечать день рождения.

(2) 공부하다. заниматься.

(3) 학교에 가다. идти в школу.

(4) 도서관에 가다. идти в библиотеку.

(5) 집에 있다. быть дома.

Практика Чтения

(1) 어제는 집에서 공부를 했어요.
Вчера я занимался дома.

(2) 오늘은 수요일입니다.
Сегодня среда.

(3) 주말에는 무엇을 합니까?
Что Вы будете делать в конце недели?

(4) 생일이 내일이에요.
Завтра- мой день рождения.

(5) 모레 아침 10시에 우리 집에 오세요.
Приходите к нам в гости послезавтра в 10 часов утра.

제 7 과
Урок 7

몇 개 있어요? Сколько штук у Вас?

Ключевые Предложения

1. 펜이 몇 개 있어요? Сколько у Вас ручек?
   peni myeot gae isseoyo
2. 친구가 몇 명 있어요? Сколько у Вас друзей?
   chin-guga myeot myeong isseoyo

■Диалоги■

Диалог 1

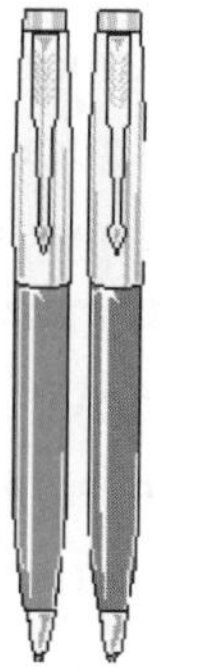

인 수: 펜을 안 가져왔어요.
peneul an gajyeowasseoyo
Я не принёс ручку.

펜이 몇 개 있어요?
peni myeot gae isseoyo
Сколько у Вас ручек?

요시코: 두 자루 있어요. 빌려 드릴까요?
du jaru isseoyo billyeo deurilkkayo
У меня две. Одолжить Вам одну?

인 수: 한 개 빌려 주세요.
han gae billyeo juseyo
Да, одолжите мне одну.

요시코: 여기 있어요. 파란색이에요. Вот, синняя.
yeogi isseoyo parangsaegieyo

인 수: 고마워요. Спасибо.
gomawoyo

Диалог 2

수 미: 요시코 씨, 한국인 친구가 몇 명 있어요?
yosiko ssi han-gugin chin-guga myeot myeong isseoyo
Ёсико, сколько у вас друзей - корейцев?

요시코: 다섯 명 있어요.
daseot myeong isseoyo
У меня пять.

수　미: 남자 친구도 있어요?
namja chin-gudo isseoyo
И друг тоже есть?

요시코: 네, 남자 친구도 두 명 있어요.
ne namja chin-gudo du myeong isseoyo
Да, два друга.

여자 친구는 세 명이에요.
yeoja chin-guneun se myeong-ieyo
и три подруги.

수　미: 친구가 많아서 좋겠어요.
chin-guga manaseo jokesseoyo
Это хорошо, что у Вас много друзей.

▪Слова и Фразы▪

- 몇 개　сколько штук
- 안　не
- 좋겠어요　хорошо
- 여기　здесь
- 파란색　синнего цвета
- 한국인　кореец
- 친구　друг
- 여자 친구　подруга
- 다섯 명　пять человек
- 빌려 주다/빌려 드리다　одолжить
- 펜　ручка
- 가져오다　принести
- 빌려 주세요　одолжите
- 여기 있어요　вот здесь
- 고마워요　спасибо
- 몇 명　сколько людей
- 남자 친구　друг
- 많다　много
- 두 명　два человека

Заучивание слов

В корейском языке существует два числительнных : Числа во втором столбце являются китайско-корейскими, а в третьем столбце-корейскими.

1	일 il	하나(한) hana(han)	8	팔 pal	여덟 yeodeol
2	이 i	둘 (두) dul(du)	9	구 gu	아홉 ahop
3	삼 sam	셋 (세) set(se)	10	십 sip	열 yeol
4	사 sa	넷 (네) net(ne)	100	백 baek	백 baek
5	오 o	다섯 daseot	1000	천 cheon	천 cheon
6	육 yuk	여섯 yeoseot	10000	만 man	만 man
7	칠 chil	일곱 ilgop			

Структуры И Выражения

① Когда Вы хотите посчитать предметы, используйте '~개' (штука), после '몇' (сколько).

몇 개 있어요? : Сколько штук у Вас?

펜이 몇 개 있어요?
peni myeot gae isseoyo
Сколько у Вас ручек?

연필이 몇 개 있어요?
yeonpiri myeot gae isseoyo
Сколько у Вас карандашей?

② Окончания вопросительной формы, присоедияясь к глагольной основе, выражают предположение или намерение. Когда глагольная основа оканчивается на гласный, употребляется '~ㄹ 까요?', когда на согласный '~을까요?'

~ㄹ까요? : Хочет?

펜을 빌려 드릴까요?
peneul billyeo deurilkkayo
Одолжить Вам ручку?

학교에 갈까요?
hakgyoe galkkayo
Хотите пойти в школу?

③ При счёте людей, используется счётное слово '명', после '몇'.

몇 명 있어요? : Сколько людей?

친구가 몇 명 있어요?
chin-guga myeot myeong isseoyo
Сколько у Вас друзей?

학생이 몇 명 있어요?
haksaeng-i myeot myeong isseoyo
Сколько студентов?

④ Когда вам нужно одолжить что-нибудь у кого-то, используйте выражение '빌려 주세요'.

빌려 주세요. : Одолжите мне (　　).

펜 빌려 주세요.
pen billyeo juseyo
Одолжите мне ручку.

연필 빌려 주세요.
yeonpil billyeo juseyo
Одолжите мне карандаш.

돈 빌려 주세요.
don billyeo juseyo
Одолжите мне деньги.

책 빌려 주세요.
chaek billyeo juseyo
Одолжите мне книгу.

5 Отрицательная форма '~안' употребляется только с глаголами и предикативыми прилагательным, и соответствует русской частице 'не'.

안 + глагол : не + глагол
안 + прилагательное : не + прилагательное

안 가져왔어요.
an gajyeowasseoyo
Я не принёс.

안 먹었어요.
an meogeosseoyo
Я не ел.

안 예뻐요.
an yeppeoyo
Не красивый.

6 Соединительное окончание '~아서/~어서', обозначает и временную последовательность между действиями главного и придаточного, и выражает причину. Если убрать выражение '~서', значение предложения не изменится.

많 + **아(서)** : ,потому что много

친구가 많아(서) 좋겠어요.
chin-guga mana(seo) jokesseoyo
Вам хорошо, у Вас много друзей.

펜을 빌려서 좋겠어요.
peneul billyeoseo jokesseoyo
Вам хорошо, Вы взяли ручку.

7 Суффикс '~겠', присоедияясь к глагольной основе, обозначает будущее время. Кроме этого, также выражает намерение или предположение.

좋겠어요. : хорошо

좋겠어요.
jokesseoyo
Хорошо.

가겠어요.
gagesseoyo
Я пойду.

공부하겠어요.
gongbuhagesseoyo
Я буду заниматься.

1 Составьте предложения, используя слова в рамке.

(1) Вопрос : 펜이 몇 개 있어요? Сколько у Вас ручек?

Ответ : 펜이 한 개 있어요. У меня есть одна ручка.

Пример

두 개 세 개 열 개 다섯 개 여덟 개

(2) Вопрос : 친구가 몇 명 있어요? Сколько у вас друзей?

Ответ : 저는 친구가 네 명 있어요. У меня четверо друзей.

Пример

다섯 명 여섯 명 일곱 명 여덟 명 한 명

(3) 저에게 책을(를) 빌려 주세요. Одолжите мне книгу.

Пример

펜 시계 우산 지우개

2 Составьте предложения в вопросительной форме.

(1) 친구가 있다. У меня есть друг.

→ ______________________ .

(2) 봄을 좋아하다. Весна нравится.

→ ______________________ .

(3) 비가 오다. Идти дождь.

→ ______________________ .

(4) 날씨가 흐리다. Погода-пасмурна.

→ ______________________ .

(5) 우산을 가져오다. Взять с собой зонтик.

→ ______________________ .

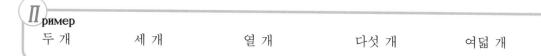

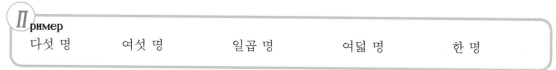

3 Используя отрицательную частицу '안', составьте предложения в отрицательной форме.

(1) <u>가져</u>왔어요? Принесли?

(2) 점심을 <u>먹었어요</u>. Я обедал.

(3) 책을 <u>샀어요</u>. Я купил книгу.

(4) <u>갈</u> 거예요? Пойдете?

(5) <u>시원해요</u>. Прохладно.

Практика Чтения

(1) 펜 한 개 빌려 주세요.
Одолжите одну ручку.

(2) 파란색 펜이 몇 개 있어요?
Сколько у Вас ручек?

(3) 한국인 친구가 몇 명 있어요?
Сколько у Вас друзей-Корейцев?

(4) 남자 친구가 다섯 명 있어요.
У меня пять друзей.

(5) 공책을 안 가져왔어요.
Я не принёс тетрадь.

제 8 과

Урок 8

얼마입니까? Сколько это стоит?

Ключевые Предложения

1. 이것은 얼마입니까? — Сколько это стоит?
   igeoseun eolmaimnikka
2. 모두 이천팔백 원입니다. — Это стоит две тысячи восемьсот вон.
   modu icheonpalbaek wonimnida

▪Диалоги▪

Диалог 1

주 인: 어서 오세요. Входите, пожалуйста.
eoseo oseyo

요시코: 바나나는 백 그램에 얼마입니까?
banananeun baek graeme eolmaimnikka
Сколько стоит сто грамм бананов?

주 인: 이백이십 원입니다. Двести двадцать вон.
ibaek-isip wonimnida

요시코: 2킬로그램 주세요.
ikillograem juseyo.
Дайте мне два килограмма.

주 인: 여기 있습니다. Вот, пожалуйста.
yeogi itseumnida

모두 사천사백 원입니다.
modu sacheonsabaek wonimnida
Всего четыре тысячи четыреста вон.

Диалог 2

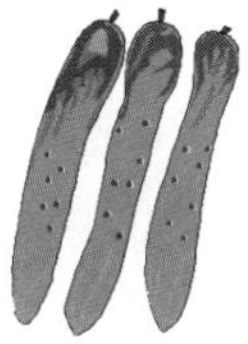

요시코: 오이는 얼마입니까?
oineun eolmaimnikka
По чём огурцы?

주 인: 세 개에 천백 원입니다.
se gae-e cheonbaek wonimnida
Три штуки стоят тысяч сто вон.

요시코: 토마토는 얼마입니까?
tomatoneun eolmaimnikka
По чём помидоры?

주 인: 백 그램(100g)에 이백육십 원입니다.
baek graeme ibaek-yuksip wonimnida
Двести шестьдесят вон за сто грамм.

요시코: 오이 세 개와 토마토 1킬로그램(1kg) 주세요.
oi se gaewa tomato ilkillograem juseyo
Дайте мне три огурца и один килограмм помидора.

주 인: 모두 삼천칠백 원입니다.
modu samcheonchilbaek wonimnida
Всего три тысячи семьсот вон.

▪Слова и Фразы▪

- 어서 오세요 Входите, пожалуйста
- 얼마입니까? По чём?
- 이백이십 원 двести двадцать вон
- 여기 있습니다 Вот, пожалуйста
- 세 개에 за три
- 토마토 помидор
- ~와/과 и
- 오이 огурец
- 바나나 банан
- 백 그램에 за сто грамм
- 2킬로그램 два килограмма
- 모두 всего
- 천백 원 тысяча сто вон
- 이백육십 원 двести шестьдесят вон
- 삼천칠백 원 три тысячи семьсот вон
- 사천사백 원 четыре тысячи четыреста вон

Заучивание слов

Фрукты

사과 яблоко
sagwa

바나나 банан
banana

파인애플 ананас
painaepeul

배 груша
bae

포도 виноград
podo

수박 арбуз
subak

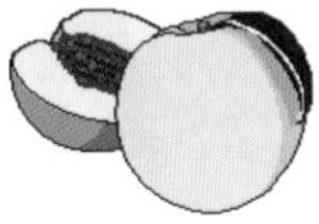

복숭아 персик
boksunga

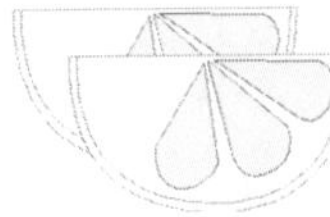

오렌지 апельсин
orenji

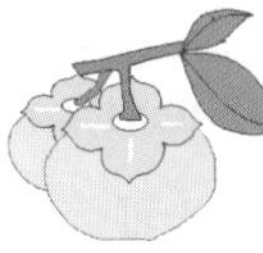

감 хурма
kam

레몬 лимон
remon

Овощи

오이 огурец
oi

호박 тыква
hobak

무 редька
mu

시금치 шпинат
sigeumchi

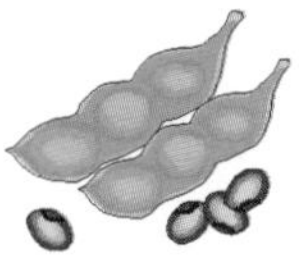

콩 горох
kong

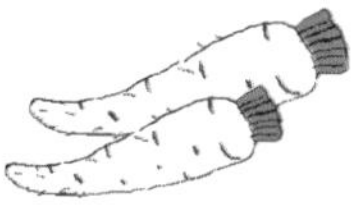

당근 морковь
danggeun

양배추 капуста
yangbaechu

고추 перец
gochu

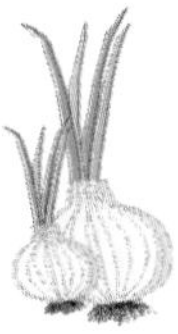

양파 репчатый лук
yangpa

파 лук
pa

배추 китайская капуста
baechu

마늘 чеснок
maneul

Единица денег

십 원	десять вон 〔sip won〕	천 원	тысяча вон 〔cheon won〕
오십 원	пятьдесят вон 〔osip won〕	오천 원	пять тысяч вон 〔ocheon won〕
백 원	сто вон 〔baek won〕	만 원	десять тысяч вон 〔man won〕
오백 원	пятьсот вон 〔obaek won〕		

Структуры И Выражения

1 Когда вы хотите спросить цену продуктов, используйте выражение '얼마입니까?'.

얼마입니까? : По чём?

바나나 100g에 얼마입니까?
banana baekgeuraeme eolmaimnikka
Сколько стоит сто грамм банан?

토마토 100g에 얼마입니까?
tomato baekgeuraeme eolmaimnikka
По чём сто грамм помидор?

② Когда Вы покупаете продукты, используйте выражение '주세요'. В разговорной речи часто сокращён суффикс '~을/를'.

~ 주세요. : Дайте (   ).

사과를 세 개 주세요.
sagwareul se gae juseyo
Дайте три яблока.

바나나를 주세요.
bananareul juseyo
Дайте банан.

③ Когда вы хотите назвать итог или общую сумму, используйте '모두'.

모두 삼천칠백 원입니다. : Всего три тысячи семьсот вон.

모두 사천사백 원입니다.
modu sacheonsabaek wonimnida
Всего, четыре тысячи четыре сто вон.

모두 천오십 원입니다.
modu cheon-osip wonimnida
Всего, тысяча пятьсот вон.

④ Частица '~에' в '백 그램에' обозначает 'за' на русском языке.

100g에 220원 : двести двадцать вон за сто грамм. **1kg에 2,600원** : две тысячи шестьсот вон за 1 килограмм.

100g에 150원입니다.
baekgeuraeme baek-osip wonimnida
Сто пятьдесят вон за сто грамм.

1kg에 1,500원입니다.
ilkillograeme cheon-obaek wonimnida
Пятьсот вон за килограмм.

⑤ Частица '~와/과', присоединяясь к существительному, обозначает союз 'и'. Когда существительное оканчивается на гласный, употребляется '~과', когда на гласный, употребляется '~와'.

오이 세 개와 토마토 두 개 : три огурца и два помидора

바나나와 사과
bananawa sagwa
банан и яблоко

감자 1kg과 당근 600g
gamja ilkillograemgwa danggeun yukbaekgraem
один киллограмм картофеля и шестьсот грамм моркови.

Упражнения

1 Составьте предложения, используя слова в рамке.

(1) (   )은(는) 100g에 얼마입니까?

По чём сто грамм (   )?

Пример
바나나　　오렌지　　딸기　　자두　　앵두　　사과

(2) (   )은(는) 얼마입니까?

По чём (   )?

Пример
토마토　　당근　　오이　　고추　　마늘

2 Составьте выражения, используя слова в рамках.

100g 두 개 세 개 1kg 한 근	에	이천 원 이천오백 원 천 원 오천 원 삼천오백 원	입니다.

note Обратите внимание, что '근' используется как единица веса в Корее. Один '근' - приблизительно 450g или 600g.

3 Прочитайте цены, указанные ниже.

(1) 230원　　(2) 12,300원　　(3) 7,560원

(4) 354,000원　　(5) 90원

4 Напишите цену, используя китайские цифра.

(1) (   ) 5,600원입니다.　　(2) (   ) 7,200원입니다.

(3) (   ) 1,800원입니다.

Практика Чтения

(1) 사과는 얼마예요?
Сколько стоит яблоко?

(2) 감은 얼마예요?
Сколько стоит хурма?

(3) 사과 한 봉지에 삼천육백 원입니다.
Один пакет яблок стоит три тысячи шестьсот вон.

(4) 오렌지 한 개에 오백 원이에요.
Один апельсин стоит пятьсот вон.

(5) 토마토 2kg 주세요.
Дайте мне два килограмма помидоров.

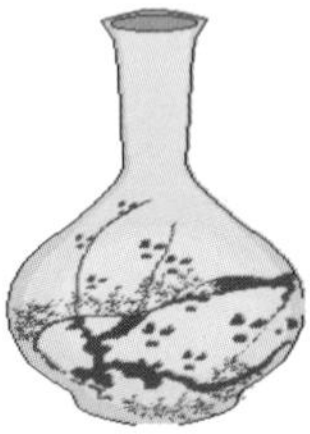

제 9 과
Урок 9

비빔밥 한 그릇 주세요.
Дайте мне одну порцию риса Бибимбаб?

Ключевые Предложения

1. 무엇을 드시겠습니까? — Что будете заказывать?
   mueoseul deusigesseumnikka
2. 비빔밥 한 그릇 주세요. — Дайте мне одну порцию риса Бибимбаб.
   bibimbap han geureut juseyo

▪Диалоги▪

Диалог 1

종업원: 무엇을 드시겠습니까? Что будете заказывать?
mueoseul deusigesseumnikka

메뉴에 불고기, 비빔밥, 설렁탕이 있어요.
menyue bulgogi bibimbap seolleongtang-i isseoyo
У нас в меню Пулгоги, Бибимбаб и Соллонгтанг.

인 수: 저는 비빔밥 한 그릇 주세요.
jeoneun bibimbap han geureut juseyo
Дайте мне одну порцию риса Бибимбаб.

요시코: 저는 설렁탕을 먹을래요. Я буду Соллонгтанг.
jeoneun seolleongtang-eul meogeullaeyo

종업원: 잠시만 기다리세요. Минутку, пожалуйста.
jamsiman gidariseyo

여기 설렁탕 한 그릇, 비빔밥 한 그릇입니다.
yeogi seolleongtang han geureut bibimbap han geureut-imnida
Вот одна порция Соллонгтанг и одна порция риса Бибимбаб.

요시코: (다 먹고 난 후)설렁탕이 맛있어요. Соллонгтанг-вкусный.
seolleongtang-i masisseoyo

Диалог 2

요시코: 이 자동판매기는 어떻게 사용해요?
i jadongpanmaegineun eotteoke sayonghaeyo
Как пользоваться этим автоматом?

인 수: 100원짜리 동전을 세 개 넣으세요.
baekwonjjari dongjeoneul se gae neoeuseyo
Опустите три монеты по 100 вон.

그리고 버튼을 누르세요. И нажмите кнопку.
geurigo beoteuneul nureuseyo

요시코: 어느 것을 누를까요? Какую кнопку нажать?
eoneu geoseul nureulkkayo

밀크 커피, 설탕 커피, 블랙 커피가 있어요.
milk keopi seoltang keopi beullaek keopiga isseoyo
Есть кофе с молоком, кофе с сахаром, и чёрный кофе.

인 수: 저는 밀크 커피 마실게요. Я буду кофе с молоком.
jeoneun milk keopi masilgeyo

▪Слова и Фразы▪

- ~드시겠습니까? Будете заказывать~?
- 비빔밥 Бибимбаб
- 불고기 Пулгоги
- 설렁탕 Соллонгтанг
- 메뉴 меню
- 잠시 기다려요 подождать
- 맛있다 вкусно
- 이 вот это
- 자동판매기 автомат
- 어떻게 как
- 사용하다 использовать
- 백(100)원짜리 сто вон
- 동전 мелочь, монета
- 넣다 опустить
- 그리고 и
- 버튼 кнопка
- 누르다 нажимать
- 어느 것 какой
- 밀크 커피 кофе с молоком
- 설탕 커피 кофе с сахаром
- 블랙 커피 чёрный кофе
- 마시다 пить
- 마실게요 я буду пить

Заучивание слов

Корейские Блюда

김치 (Кимчхи)

포기김치, 물김치, 깍두기, 보쌈김치, 총각김치, 오이소박이, 파김치, 부추김치, 깻잎김치

밥 (Вареный рис)

쌀밥, 보리밥, 잡곡밥, 팥밥, 차조밥

나물 (Засоленые овощи)

시금치, 콩나물, 고사리, 숙주나물, 파래무침, 도라지무침, 오이무침, 호박볶음, 무채나물

생선 (рыба)

조기, 옥돔, 참치, 꽁치, 갈치, 고등어, 가자미, 대구, 명태

전 (жареные блюда)

고기산적, 녹두지짐, 파전, 깻잎전, 호박전, 감자전

찌개 (овощные супы)

된장찌개, 김치찌개, 참치찌개, 두부찌개, 비지찌개, 동태찌개, 버섯전골, 오징어전골

국 (суп)

미역국, 북어국, 소고기국, 감자국, 무국, 시금치된장국, 배추된장국, 콩나물국, 육개장, 떡국, 만두국, 삼계탕

Структуры И Выражения

1. Когда вы хотите заказать обед в ресторане, используйте количество порций '인 분' после названия блюда.

(1) 비빔밥 __________ 그릇 : '한 그릇' обозначает одну порцию блюда.
bibimbap geureut

한	세	다섯	일곱	열

(2) 불고기 __________ 인분 : '일 인분' обозначает одну порцию блюда.
bulgogi inbun

일	이	육	구	십

2. Используйте выражение '드시겠습니까?', чтобы спросить о предпочтении чего-либо. Данное выражение состоит из '드시+겠+습니까?' Почтительный суффикс '~(으)시~', присоединяясь к любой основе, подчёркивает особое уважение к субьекту. Суффикс '~겠~', присоединяясь к глагольной основе, обозначает будущее время, и '~(으)ㅂ니까?/~습니까?' официальный способ выражения окончания в вопросительном предложении.

__________ **을(를) 드시겠습니까?** : Вы хотите кушать (　　　　)?

비빔밥	불고기	우동	국수	수제비	떡국
bibimbap	bulgogi	udong	guksu	sujebi	tteokguk

3 Используйте выражение '먹을래요?', чтобы спросить о предпочтении чего-либо. Данное выражение состоит из '먹+으+ㄹ래요?' Окончание '~(으)~ㄹ래요?', присоединяясь к глагольной основе, выражает намерение или предположение. Когда предположение обозначает согласие, интонация в конце предложения понижается, а когда говорящий предлагает слушателю сделать что-либо вместе с ним, интонация в конце предложения повышается.

> ________ **을(를) 먹을래요?** : Вы хотите кушать ( )?
> ________ **을(를) 마실래요?** : Вы хотите пить ( )?

라면	피자	김밥	햄버거	국수
ramyeon	pija	gimbap	haembeogeo	guksu
커피	콜라	사이다	주스	
keopi	kolla	saida	juuseu	

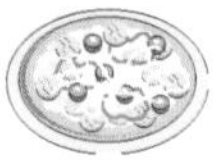

4 Когда вы хотите заказать обед в ресторане, используйте счётное слово '인 분+주세요'. И также данное выражение можно использовать при покупке продуктов.

> ________ **주세요.** : Дайте ( ).

삼계탕 일인 분
samgyetang ilinbun

한정식 이인 분
hanjeongsik i-inbun

불고기 육인 분
bulgogi yuk-inbun

설렁탕 한 그릇
seolleongtang han geureut

자장면 세 그릇
jajangmyeon se geureut

5 Вопросительное слово '어떻게' обозначает как на русском языке.

> **어떻게** : как

어떻게 사용해요?
eotteoke sayonghaeyo
Как использовать?

어떻게 가요?
eotteoke gayo
Как доехать?

6 Окончание '~(으)ㄹ래요', присоединяясь к глагольной основе предложения с подлежащим первого, выражает намерение.

> **~(으)ㄹ게요.** : Я буду ( ).

밀크 커피 마실게요.
milk keopi masilgeyo
Я буду пить кофе с молоком.

불고기 먹을게요.
bulgogi meogeulgeyo
Я буду есть Пулгоги.

공부할게요.
gongbuhalgeyo
Я буду заниматься.

Упражнения

1 Ответьте на вопрос, используя слова в скобках.

Пример
Вопрос : 무엇을 드시겠습니까? Что будете заказывать?

(1) __________ 먹을래요. (불고기)
(2) __________ 먹을래요. (설렁탕)
(3) __________ 먹을래요. (자장면)
(4) __________ 먹을래요. (우동)

2 Составьте вопрос о наличии вкуса.

(1) 비빔밥이 ______________?
(2) 불고기가______________?
(3) 설렁탕이 ______________?
(4) 자장면이 ______________?
(5) 물냉면이 ______________?
(6) 된장찌개가 ______________?

3 Закажите предлагаемые блюда.

김밥	생선초밥	짬뽕	갈비	비빔냉면
만두국	떡만두국	칼국수	버섯전골	오징어전골

(1) Используя счётное слово '그릇'

Пример
칼국수 한 그릇 주세요. Дайте мне одну порцию Калгуксу.

① __________ __________ 주세요.
② __________ __________ 주세요.
③ __________ __________ 주세요.
④ __________ __________ 주세요.
⑤ __________ __________ 주세요.

(2) Используя счётное слово '~인 분'

Пример
만두 이인 분 주세요. Дайте мне две порции пирога.

① ________ ________ 주세요. ② ________ ________ 주세요.

③ ________ ________ 주세요. ④ ________ ________ 주세요.

⑤ ________ ________ 주세요.

4 Закончите предложения, используя слова из упражнения **3**.

(1) ____________이(가) 맛있어요. (2) ____________이(가) 맛없어요.

(3) ____________이(가) 맛있어요. (4) ____________이(가) 맛없어요.

(5) ____________이(가) 맛있어요. (6) ____________이(가) 맛없어요.

(7) ____________이(가) 맛있어요. (8) ____________이(가) 맛없어요.

5 Закончите предложения, используя слова в рамке.

Пример
밀크 커피 설탕 커피 블랙 커피 율무차 코코아 유자차

▸ Хотите пить ( )?

(1) ____________ 마실래요? (2) ____________ 마실래요?

(3) ____________ 마실래요? (4) ____________ 마실래요?

(5) ____________ 마실래요? (6) ____________ 마실래요?

Практика Чтения

(1) 무엇을 드시겠습니까? Что будете заказывать?

(2) 자장면 한 그릇 주세요. Дайте мне одну порцию лапши Заджангмён.

(3) 100원짜리 동전을 다섯 개 넣으세요. Опустите пять монет по 100 вон.

(4) 저는 블랙 커피 마실게요. Я буду чёрный кофе.

(5) 우동 두 그릇 주세요. Дайте мне две порции лапши Удонг.

제 10 과

Урок 10

여보세요? Алло?

Ключевые Предложения

1. 여보세요? — Алло?
   yeoboseyo
2. 수미 씨 있어요? — Суми дома?
   sumi ssi isseoyo

▪Диалоги▪

Диалог 1

요시코: 여보세요? 인수 씨 있어요?
yeoboseyo insu ssi isseoyo
Алло? Инсу дома?

인 수: 저예요. 요시코 씨. Ёсико, это говорит Инсу.
jeoyeyo yosiko ssi

요시코: 몇 시에 만날까요?
myeot sie mannalkkayo
В котором часу нам встретиться?

인 수: 2시에 만나요. Давайте в 2 часа.
dusie mannayo

요시코: 어디에서 만날까요? Где мы встретимся?
eodieseo mannalkkayo

인 수: 이태원 맥도날드에서 만나요.
itaewon maekdonaldeu-eseo mannayo
Давайте встретимся в Макдоналд на Итэвоне.

Диалог 2

요시코: 여보세요? Алло?
yeoboseyo

소 라: 누구세요? Кто это говорит?
nuguseyo

요시코: 저는 요시코예요. Это говорит Ёсико.
jeoneun yosikoyeyo

소　라: 누구 찾으세요? С кем вы хотите поговорить?
nugu chajeuseyo

요시코: 인수 씨를 찾습니다.
insu ssireul chasseumnida
Позовите Инсу.

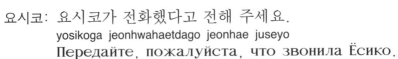

소　라: 지금 여기 안 계십니다.
jigeum yeogi an gyesimnida
Сейчас его нет дома.

요시코: 요시코가 전화했다고 전해 주세요.
yosikoga jeonhwahaetdago jeonhae juseyo
Передайте, пожалуйста, что звонила Ёсико.

■Слова и Фразы■

- ~씨　господин
- 있어요?　есть
- 찾으세요?　искать
- 몇 시　в котором часу?
- 만날까요?　встретимся?
- 만나다　встретиться
- 계십니다　быть, есть
- 안 계십니다　нет быть
- 전화했다고　передайте, что я позвонил
- 이태원　Итэвон
- 맥도날드　Макдоналд
- 여보세요?　алло?
- 누구　кто
- 저예요　это я
- 지금　сейчас
- 여기　здесь
- 안　не
- 2시　в 2 часа
- 어디에서　где
- 전해 주세요　передайте, что-
- 전화　звонок

Заучивание слов

Разговоры о времени(который час?)

- 한 시　1:00
- 두 시　2:00
- 세 시　3:00
- 네 시　4:00
- 다섯 시　5:00
- 한시 반　1:30
- 두시 반　2:30
- 세 시 반　3:30
- 네 시 반　4:30
- 한 시 십 분　1:10
- 두 시 이십 분　2:20
- 세 시 사십 분　3:40
- 네 시 십 분전　3:50
- 다섯 시 십오 분전　4:45

세 시 3:00
se si

네 시 4:00
ne si

열두 시 오십오 분 12:55
yeoldusi osipobun

한 시 오 분전
hanshi obunjŏn

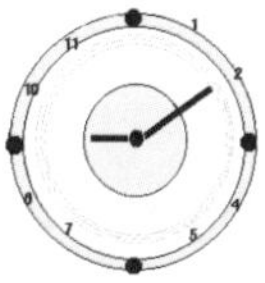

아홉 시 십 분 9:10
ahopsi sipbun

여섯 시 오십 분 6:50
yeoseosi osipbun

일곱 시 십 분전
ilgopsi sipbun jeon

두 시 오십오 분 2:55
dusi osipobun

세 시 오 분전
sesi obun jeon

한 시 사십오 분 1:45
hansi sasipobun

다섯 시 5:00
daseossi

열두 시 사십 분 12:40
yeoldusi sasip-bun

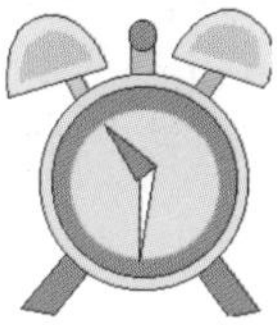

열 시 반 10:30
yeolsi ban

열 시 삼십 분
yeolsi samsipbun

열한 시 오 분 11:05
yeolhansi obun

Вопросительные слова

누구 (кто)	**무엇** (что)	**어디** (где)	**언제** (когда)
어느 것 (который, какой)		**어떻게** (как)	**왜** (почему)

누구를 좋아합니까?
nugureul joahamnikka
Кого Вы любите?

무엇을 합니까?
mueoseul hamnikka
Что Вы делаете?

어디에 갑니까?
eodie gamnikka
Куда Вы идёте?

언제 갑니까?
eonje gamnikka
Когда Вы идёте?

어느 것을 좋아합니까?
eoneu geoseul joahamnikka
Что Вы предпочитаете?

어떻게 사용합니까?
eotteoke sayonghamnikka
Как это использовать?

Структуры И Выражения

1 Выражение '여보세요?' используется тогда, когда Вы звоните кому-либо, и значает Алло на русском языке.

> **여보세요?** : Алло?

2 Когда Вы хотите спросить о присутствии кого-либо, используйте выражение '있어요?'. Выражение '있어요?' употребляется между друзьями, а '계세요?' употребляется при обращеним к уважаемому лицу.

> ________ **있어요? / 계세요?** : ________ есть?

수미 씨	헨리 씨	소라 씨	앤디 씨	영주 씨	존 씨
사장님	과장님	목사님	원장님	선생님	신부님

3 Если Вы не знаете, кто говорит по телефону, то вы можете использовать данное выражение '누구세요 или 누구 찾으세요?'.

> **누구세요?** : Кто говорит? **누구(를) 찾으세요?** : С кем Вы хотите поговорить?

4 окончание вопросительной формы '~(으)ㄹ까요?', присоединяясь к глаголной основе, обозначает предложение или намерение слушателя.

> ________ **만날까요?** : Встретимся в ________?

두 시에	네 시에	다섯 시에	일곱 시에
du sie	ne sie	daseot sie	ilgop sie
в два часа	в четыре часа	в пять часов	в семь часов

5 Частица '~에서', присоединяясь к существительному, обозначает место.

> ________ **에서 만나요.** : Давайте встретимся в ________.

맥도날드 maekdonaldeu Макдоналд	버거킹 beogeoking Бургер кинг	웬디스 wendis Вендис	지하철역 jihacheolyeok станция метро

⑥ Когда вы хотите передать кому-либо что-либо, используйте '~고 전해주세요.' после окочания выражения.

~고 전해 주세요 : Передайте, что ______________.

전화했다고 전해 주세요. Передайте, что я звонил.
jeonhwahaetdago jeonhae juseyo

찾는다고 전해 주세요. Передайте, что я его(её) ищу.
channeundago jeonhae juseyo

Упражнения

1 Закончите диалог, используя слова в скобках.

Пример
여보세요? 수미 씨 있어요? : Алло, Суми дома?

(1) ______? ______ 있어요?(요시코) (2) ______? ______ 있어요?(재헌)
(3) ______? ______ 있어요?(사무엘) (4) ______? ______ 있어요?(푸휘)

2 Ответьте на вопрос в зависимости от условия, предложенного в скобках.

Пример
여보세요? (Ваше имя) 씨 있어요?

ответ1 : ______________________ (Вы знаете, кто звонил.)
ответ2 : ______________________ (Вы не знаете, кто звонил.)

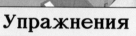

3 Вставьте соответствующие слова.

(1) ________에 만날까요? Встретимся в ________? (час)

(2) ________에 만나요. Давайте встретимся в ________. (час)

(3) ________에서 만날까요? Встретимся в ________? (место)

(4) ________에서 만나요. Давайте встретимся в ________. (место)

4 Переделайте предложения, используя уважительные слова.

(1) 나는 인수예요. → ________. Это говорит Инсу.

(2) 그녀는 요시코예요. → ________. Она - Ёсико.

(3) 우리는 학생이에요. → ________. Мы - студент.

(4) 그들은 선생님이에요. → ________. Они - учителя.

(5) 이 사람은 누구예요? → ________. Кто это?

(6) 나는 이사를 만났어요. → ________. Я встретился с директром.

(7) 나는 전무를 만났어요. → ________.
Я встретился с директор-распорядителем.

(8) 나는 부장을 만났어요. → ________.
Я встретился с начальником отдела.

(9) 나는 과장을 만났어요. → ________.
Я встретился с начальником отдела.

Практика Чтения

(1) 여보세요? 114입니까? Алло? Это 114?

(2) 인수 씨 있어요? Инсу дома?

(3) 요시코가 전화했다고 전해 주세요.
Передайте, пожалуйста, что звонила Ёсико.

(4) 몇 시에 어디에서 만날까요?
В котором часу мы встретимся?

(5) 인수 씨는 지금 여기 안 계십니다. Сейчас Инсу нет.

제 11 과

Урок 11

이태원은 어떻게 가요?

Как доехать до Итэвона?

Ключевые Предложения

1. 이태원은 어떻게 가요? itaewoneun eotteoke gayo	Как доехать до Итэвона?
2. 지하철을 타세요. jihacheoreul taseyo	Садитесь на метро.

▪Диалоги▪

Диалог 1

존 : 이태원은 어떻게 가요?
itaewoneun eotteoke gayo
Как доехать до Итэвона?

유미: 지하철 6호선을 타세요.
jihacheol yukhoseoneul taseyo
Надо ехать по шестой линии.

그리고, 이태원 역에서 내리세요.
geurigo itaewonogeseo naeriseyo
И выйти на станции Итэвон.

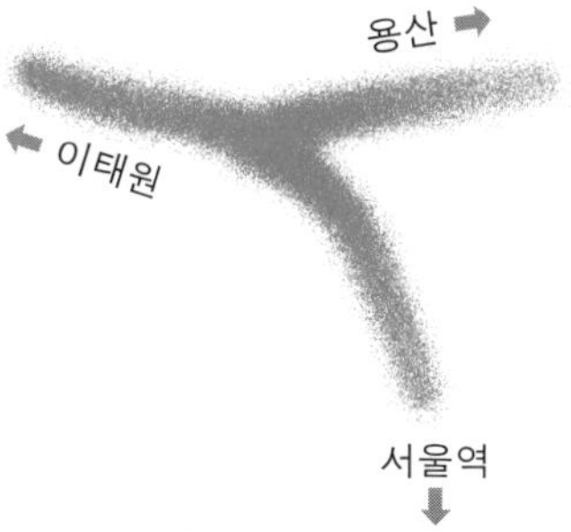

존 : 맥도날드는 어떻게 가요?
maekdonaldneun eotteoke gayo
Как дойти до Макдоналд?

유미: 지하철 역에서 걸어서 가세요.
jihacheolyeogeseo georeoseo gaseyo
От метро идите пешком.

존 : 걸어서 얼마나 걸려요?
georeoseo eolmana geollyeoyo
Как долго идти пешком?

유미: 금방이에요.
geumbangieyo
Скоро.

Диалог 2 존 : 이태원역 한 장 주세요.
itaewon-yeok hanjang chuseyo
Дайте один билет до Итэвон.

직원: 900원입니다.
6baek wonimnida
Девятьсот вон.

존 : 어느 쪽으로 가요?
eoneu jjogro gayo
В какую сторону надо идти?

직원: 저 표시를 따라가세요.
jeo pyosireul ttaragaseyo
Следуйте по стрелке(знаку).

존 : 감사합니다. Спасибо.
gamsahamnida

(지하철을 탄다.)(ездить метро)

На метро
지하철 방송: 다음 역은 이태원역입니다.
daeum yeogeun itaewon-yeogimnida
Следующая станция-Итэвон.

내리실 문은 왼쪽입니다.
naerisil muneun oenjjogimnida
Выход-слева.

▪Слова и Фразы▪

- 900원 Девятьсот вон
- 어떻게 как
- 지하철 метро
- 6호선 шестая линия
- 이태원역 станция Итэвон
- 내리세요 выходите
- 타세요 садитесь на
- 왼쪽 слева
- 걸려요 требуется
- 어떻게 가요? как доехать?
- 어느 какой
- 어느 쪽 какая сторона
- 저기 там
- 표시 знак
- 따라가세요 следуйте за
- 다음 следующая
- 다음 역 следующая станция
- 걸어서 идти пешком
- 내리실 문 выход

Заучивание слов

Виды транспорта

자전거 велосипед
jajeongeo

오토바이 мотоцикл
otobai

승용차 машина
seungyongcha

버스 автобус
beos

기차 поезд
gicha

지하철 метро
jihacheol

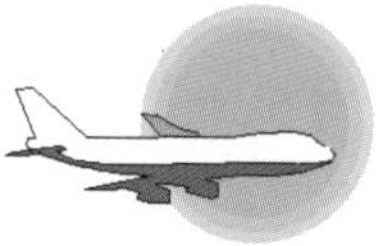

비행기 самолёт
bihaenggi

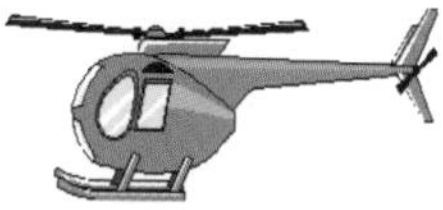

헬리콥터 вертолет
hellikopteo

여객선 пассажирское
yeogaekseon

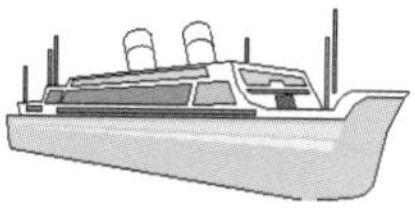

유람선 судно
yuramseon

트럭 грузовик
teureok

택시 такси
taeksi

Структуры И Выражения

1 Когда вы хотите узнать, как доехать до места цели, используйте данное выражение.

> ________ **은(는) 어떻게 가요?** : Как доехать до ____________?

맥도날드 Макдоналд
maekdonaldeu

지하철 역 станция метро
jihacheolyeok

이태원 Итэвон
itaewon

학교 школа
hakgyo

출입국 관리 사무소 Иммиграционная Служба
churipguk gwanri samuso

2 Когда вы хотите спросить, едет ли автобус до места назначения, используйте выражение '~(으)로 가요?'.

________ **으로 가요?** : Автобус идёт до ________?

어느 쪽 в какую сторону eoneu jjok
이쪽 сюда ijjokok
저쪽 туда jeojjok
그쪽 в ту сторону geujjok

3 Когда вы предлагаете лучший способ транспорта, используйте выражение '~(을)를 타세요'.

________ **(을)를 타세요.** : Надо ехать на ________.

지하철 метро jihacheol
택시 такси taeksi
승용차 машина seungyongcha
버스 автобус beos
자전거 велосипед jajeongeo
오토바이 мотоцикл otobai

Упражнения

1 Ответьте на вопрос в примере, используя слова мест, видов транспорта, указанные в скобках.

(1)

Пример
이태원, 인천공항, 여의도, 한강시민공원, 롯데월드, 민속촌

① ________에 어떻게 가요?

② ________에 어떻게 가요?

③ ________에 어떻게 가요?

④ ________에 어떻게 가요?

⑤ ________에 어떻게 가요?

(2)

Пример
기차, 배, 버스, 택시, 승용차

① ________________ 을(를) 타고 가(세)요.

② ________________ 을(를) 타고 가(세)요.

③ ________________ 을(를) 타고 가(세)요.

④ ________________ 을(를) 타고 가(세)요.

⑤ ________________ 을(를) 타고 가(세)요.

(3)

Пример
지하철을(를) 타세요.

① ________________ . (버스 автобус)

② ________________ . (택시 такси)

③ ________________ . (유람선 судно круиза)

④ ________________ . (오토바이 мотоцикл)

⑤ ________________ . (자전거 велосипед)

2 Ответьте на вопрос, используя слова направления, указанные в скобках.

Пример
어느 쪽으로 가야 돼요?

(1) ________________ 으로 가세요. (왼쪽 налево)

(2) ________________ 으로 가세요. (오른쪽 направо)

(3) ________________ 으로 가세요. (이쪽 сюда)

(4) ________________ 으로 가세요. (저쪽 туда)

(5) ________________ 가세요. (곧장 прямо)

3 Вставьте название место, которые вы знаете.

(1) ____________________에 가요.

(2)____________________에 가요.

(3) ____________________에 가요.

(4) ____________________에 가요.

(5) ____________________에 가요.

Практика Чтения

(1) 소라 씨, 집에는 어떻게 가요?
Сора, как доехать до дома?

(2) 서울역 한 장 주세요.
Дайте мне один билет до станции Сеул.

(3) 어느 쪽으로 가세요?
В какую сторону надо идти?

(4) 지하철로 얼마나 걸려요?
Как долго ехать на метро?

(5) 어디에서 내리세요?
Где Вы выходите?

제 12 과

Урок 12

저는 내일 여행 갈 거예요.

Завтра я поеду в путешествие.

Ключевые Предложения

1. 저는 내일 여행 갈 거예요.
jeoneun naeil yeohaeng gal geoyeyo
Завтра я собираюсь в путешествие.
2. 무궁화호 한 장 주세요.
mugunghwaho han jang juseyo
Дайте один билет на поезд Мугунгха-хо.

▪Диалоги▪

Диалог 1

존 : 저는 내일 여행 갈 거예요.
jeoneun naeil yeohaeng gal geoyeyo
Завтра я собираюсь в путешествие.

유미: 어디 가세요?
eodi gaseyo
Куда Вы едете?

존 : 경주에 갈 거예요. Я поеду в Гёнгжу.
gyeongjue gal geoyeyo

한국의 전통적인 도시를 보고 싶어요.
hangugui jeontongjeogin dosireul bogo sipeoyo
Хочу посмотреть корейский традиционный город.

유미: 불국사가 가장 유명해요. 꼭 가 보세요.
bulguksaga gajang yumyeonghaeyo kkok ga boseyo
Булкукса-самый известный буддийский храм.
Съездите обязательно.

좋은 여행 되세요. Счастливого пути!
joeun yeohaeng doeseyo

Диалог 2

존 : 3시 30분 무궁화호 한 장 주세요.
sesi samsipbun mugunghwaho han jang juseyo
Дайте мне, пожалуйста, один билет на поезд Мугунгха-хо на 3 часа 30 минут.

직원: 어디 가세요? Куда вы едете?
eodi gaseyo

존 : 설악산에 갑니다.
seoraksane gamnida
Я еду в горы Сорак.

직원: 조금 늦으셨어요. 방금 떠났어요.
jogeum neujeusyeosseoyo bang-geum tteonasseoyo
Вы немного опоздали. Только что поезд отправился.

존 : 다음 열차는 몇 시에 있습니까?
daum yeolchaneun myeot sie itseumnikka
В котором часу следующий поезд?

직원: 4시 10분 새마을호입니다.
nesi sipbun saemaeulhoimnida
В четыре десять поезд Сэмаул-хо.

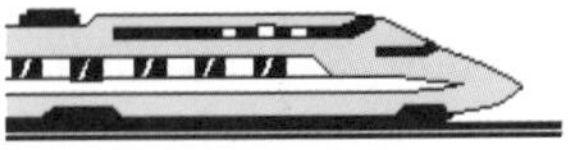

존 : 새마을호 한 장 주세요.
saemaeulho han jang juseyo
Дайте мне один билет на поезд Сэмаул-хо, пожалуйста.

▪Слова и Фразы▪

- 내일 завтра
- 여행 путешествие
- 갈 거예요 собираюсь поехать
- 어디 куда
- 가세요? едете?
- 표 билет
- 갑니다 иду, еду
- 전통적인 традиционный
- 보고 싶어요 хочу посмотреть
- 몇 시? В котором часу?
- 보다 смотреть
- 가장 самый
- 유명한 известный
- 가 보세요 езжайте
- 꼭 обязательно
- 좋은 хороший
- 도시 город
- 조금 немного
- 방금 только что
- 떠났어요 отправился
- 다음 следующий
- 열차 поезд
- 경주 Кёнгжу
- 한국 Корея
- 늦다 опоздать
- 주세요 дайте
- 무궁화호 Мугунгха-хо
- 새마을호 Сэмаул-хо

Заучивание слов

Основные железнодорожные станции в Корее

서울역, 수원역, 대전역, 대구역, 동대구역, 부산역

Типы поездов

KTX, 새마을호, 무궁화호

Количество билетов

네 장, 다섯 장, 여덟 장, 열 장, 열두 장

Основные города в Корее

서울, 부산, 인천, 대구, 광주, 대전, 울산, 제주, 춘천

Города около Сеула

수원, 안양, 부천, 분당, 성남, 구리, 일산, 안산, 과천

Структуры И Выражения

1 '가세요?' образовано '가(다)+시+어요'. Почтительный суффикс '~시~' подчёркивает уважение к субъекту, и '~어요~'- нейтрально-вежливая форма. '~시+어' можно быть сокращенно как '셔' или '세'.

어디 가세요? : Куда вы едете?

경주에 가세요?
gyeongjue gaseyo
Вы едете в Кёнгжу?

설악산에 가세요?
seoraksane gaseyo
Вы едете в Сорак горы?

2 Частица '~에' выражает место неподвижного или направление глагола движения, и можно заменять '~로'.

경주에 갈 거예요.
gyeongjue gal geoyeyo
Я собираюсь поехать в Кёнгжу.

경주로 갈 거예요.
gyeongjuro gal geoyeyo
Я собираюсь поехать в Кёнгжу.

3 форма '~고 싶어요', присоединяясь к основе глаголов действия,

выражает желание и обычно употребление этой формы ограниченно подлежащим первого лица.

보고 싶어요 : Я хочу посмотреть-

경주를 보고 싶어요.
Gyeongjureul bogo sipeoyo
Я хочу посмотреть на Кёнгжу.

수미를 보고 싶어요.
sumireul bogo sipeoyo
Я хочу увидеть Суми.

4 '가장' обозначает 'больше всего, самый' на русском языке, а '더' делает сравнительное выражение, чтобы обозначать 'ещё, более' на русском языке.

가장 유명해요 : самый известный-

불국사가 가장 유명해요.
bulguksaga gajang yumyeonghaeyo
Булкукса-самый известный буддийский храм.

불국사가 해인사보다 더 유명해요.
bulguksaga haeinsaboda deo yumyeonghaeyo
Булкукса известнее чем Хэинса.

5 Выражение '-이(가) 되세요' обозначает 'Желаю вам -' на русском языке.

좋은 여행 되세요 : Счастливого пути!

좋은 밤 되세요.
joeun bam doeseyo
Спокойной ночи!

좋은 주말이 되세요.
joeun jumal doeseyo
Хороших выходных!

6 Чтобы купить билет на поезд, скажите время отьезда, вид поезда и количество билетов. Количество билетов ～장 после числа.

время	вид поезда	количество билетов
3시 30분	무궁화호 mugunghwaho	한 장 han jang
4시	KTX	두 장 du jang
5시	새마을호 saemaeulho	세 장 se jang

Упражнения

1 Ответьте на вопрос, используя слова в скобках.

Пример
Вопрос : 어디 가십니까?

(1) Ответ : ________________ 갑니다. (강릉)

(2) Ответ : ________________ 갑니다. (경주)

(3) Ответ : ________________ 갑니다. (설악산)

(4) Ответ : ________________ 갑니다. (지리산)

(5) Ответ : ________________ 갑니다. (남해안)

2 Составьте предложения, употребив глагол в соответствующей форме.

(1) 판교로 ____________________ .(еду)

(2) 안양에 ____________________ .(собираюсь ехать)

(3) 용인에 ____________________ .(собираюсь ехать)

(4) 광주로 ____________________ .(хочу ехать)

(5) 분당으로 __________________ .(еду)

3 закончите предложения, используя числа, предлагаемые в скобках.

(1) 표 ______ 주세요. (5 билетов) (2) 표 ______ 주세요. (10 билетов)

(3) 표 ______ 주세요. (7 билетов) (4) 표 ______ 주세요. (11 билетов)

(5) 표 ______ 주세요. (14 билетов)

4 Составьте предложения, используя пример.

Пример
두 시 무궁화호 한 장 주세요.

(1) ____________________________________ 주세요.

(2) ____________________________________ 주세요.

(3) ____________________________________ 주세요.

(4) ____________________________________ 주세요.

(5) ____________________________________ 주세요.

5 Составьте предложения, используемые при покупке билета.

(1) 새마을호 ______________________________ .

(2) 통일호 ________________________________ .

(3) 고속버스 ______________________________ .

(4) 무궁화호 침대칸 _______________________ .

Практика Чтения

(1) 저는 모레 여행을 떠날 거예요.
Я собираюсь в путешествие послезавтра.

(2) 설악산을 보고 싶어요. Хочу посмотреть горы Сорак.

(3) 경주에 가고 싶어요. Хочу поехать в Кёнгжу.

(4) 불국사가 가장 유명해요. Булкукса-самый известный буддийский храм.

(5) 새마을호 한 장 주세요.
Дайте мне один билет на Сэмаул-хо, пожалуйста.

제 13 과

Урок 13

방 구하기 Снимать комнату

Ключевые Предложения

1. 자취방 있어요? Вы сдаёте комнату?
   jachwibang isseoyo
2. 계약서를 작성합시다. Давайте составим контракт(договор).
   gyeyakseoreul jakseonghapsida

■Диалоги■

Диалог 1

존 : 자취방 있어요?
jachwibang isseoyo
Вы сдаёте комнату?

주인: 이쪽으로 앉으세요. Садитесь сюда.
iijjogeuro anjeuseyo

존 : 얼마 정도 합니까?
eolma jeongdo hamnikka
За сколько вы сдаёте приблизительно комнату?

주인: 보증금 100만 원에 월 10만 원 정도예요.
bojeung-geum baekman wone wol sipman won jeongdoyeyo
Ежемесячно приблизительно сто тысяч вон и миллион вон задаток.

존 : 집 구경 할 수 있어요?
jip gugyeong hal su isseoyo
Можно посмотреть комнату?

주인: 예, 지금 같이 가 보시겠습니까?
ye jigeum gachi ga bosigetseumnikka
Сейчас хотите посмотреть со мной?

Диалог 2

주인: 이 방입니다. Вот эта комната.
i bang-imnida

존 : 방이 깨끗하고 좋군요. Комната-чистая и хорошая.
bang-i kkaekkeutago jokunyo

이 방으로 하겠습니다.
i bang-euro hagetseumnida
Я сниму эту комнату.

주인: 사무실에서 계약서를 작성하도록 합시다.
samusileseo gyeyakseoreul jakseonghadorok hapsida
Давайте составим контракт в офисе.

주인: 여기에 이름과 주소와 여권 번호를 적어 주세요.
yeogie ireumgwa jusowa yeogwonbeonhoreul jeogeo juseyo
Запишите Ваше имя, адрес и номер паспорта.

그리고 계약 기간은 1년으로 하시겠어요?
geurigo gyeyak giganeun ilnyeoneuro hasigesseoyo
Срок заключения договора- один год?

존 : 예, 1년으로 하겠습니다.
ye ilnyeoneuro hagtseumnida
Да, один год.

주인: 계약금을 지불하시겠어요?
gyeyaggeum–eul jibulhasigesseoyo
Вы хотите оплатить задаток?

존 : 예, 여기 있습니다.
ye yeogi itseumnida
Да, вот, пожалуйста.

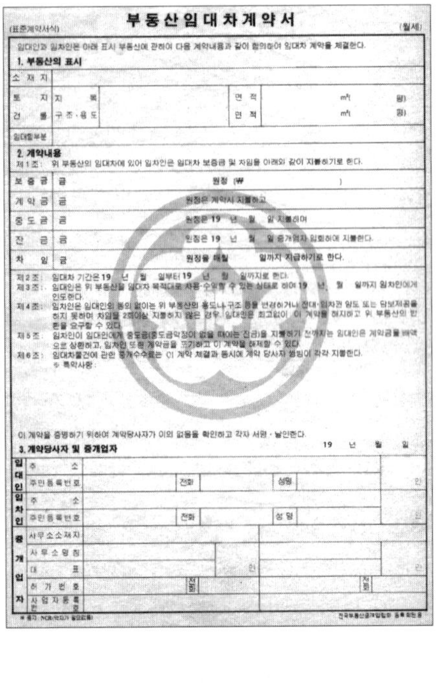

(표준계약서식) **부동산임대차계약서** (월세)

임대인과 임차인은 아래 표시 부동산에 관하여 다음 계약내용과 같이 합의하여 임대차 계약을 체결한다.

1. 부동산의 표시

소 재 지				
토 지	지 목		면 적	㎡(평)
건 물	구조·용도		면 적	㎡(평)
임대할부분				

2. 계약내용

제1조: 위 부동산의 임대차에 있어 임차인은 임대차 보증금 및 차임을 아래와 같이 지불하기로 한다.

보 증 금	금	원정 (₩)
계 약 금	금	원정은 계약시 지불하고
중 도 금	금	원정은 19 년 월 일 지불하며
잔 금	금	원정은 19 년 월 일 중개업자 입회하에 지불한다.
차 임	금	원정을 매월 일까지 지급하기로 한다.

제2조: 임대차 기간은 19 년 월 일부터 19 년 월 일까지로 한다.
제3조: 임대인은 위 부동산을 임대차 목적대로 사용·수익할 수 있는 상태로 하여 19 년 월 일까지 임차인에게 인도한다.
제4조: 임차인은 임대인의 동의 없이는 위 부동산의 용도나 구조 등을 변경하거나 전대·임차권 양도 또는 담보제공을 하지 못하며 차임을 2회이상 지불하지 않은 경우 임대인은 최고없이 이 계약을 해지하고 위 부동산의 반환을 요구할 수 있다.
제5조: 임차인이 임대인에게 중도금(중도금약정이 없을 때에는 잔금)을 지불하기 전까지는 임대인은 계약금을 배액으로 상환하고, 임차인 또한 계약금을 포기하고 이 계약을 해제할 수 있다.
제6조: 임대차물건에 관한 중개수수료는 이 계약 체결과 동시에 계약 당사자 쌍방이 각각 지불한다.
※ 특약사항:

이 계약을 증명하기 위하여 계약당사자가 이의 없음을 확인하고 각자 서명·날인한다.

19 년 월 일

3. 계약당사자 및 중개업자

임대인	주 소					
	주민등록번호		전화		성명	인
임차인	주 소					
	주민등록번호		전화		성 명	인
중개업자	사무소소재지					
	사무소명칭					
	대 표		인			인
	허가번호		전화		전화	
	사업자등록번호					

※ 용지: NCR(먹지가 필요없음)   전국부동산중개업협회 중록회원용

▪Слова и Фразы▪

- 앉다 сидеть
- 지금 сейчас
- 계약서 контракт
- 같이 вместе с
- 1년으로 на год
- ~정도 около, примерно
- 집 구경 осмотр квартиры
- 얼마 정도 за сколько приблизительно
- 자취방 один тип квартиры(обычная комната)
- 보증금 задаток, депозит
- 방 комната
- 합시다 давайте-
- 깨끗하다 чистый
- 할 수 있어요? можно?
- 부동산 недвижимость
- 계약 기간 срок контракта, договора
- 월 месяц
- 좋다 хорошо
- 돈 деньги
- 사무실 офис
- 작성하다 записать

Заучивание слов

Типы квартиры в Корее

전세 аренда комнаты с депозитом

월세 ежемесячная арендная плата

자취 пансион

하숙 комната с подселением

Структуры И Выражения

1 Когда вы хотите спросить приблизительную цену, площадь, используйте выражение '얼마 정도 합니까?/됩니까?/입니까?' Данное выражение образовано '얼마+정도+합니까?/됩니까?/입니까?'.

> **얼마 정도 합니까? / 얼마 정도 됩니까? / 얼마 정도입니까?**
> Приблизительно сколько -?

이 아파트는 얼마 정도 합니까? Приблизительно сколько стоит эта квартира?
i apateuneun eolma jeongdo hamnikka

방 크기는 얼마 정도 됩니까? Приблизительно какая площадь комнаты?
bang keugineun eolma jeongdo doemnikka

계약 기간은 얼마 정도입니까? Приблизительно на какой срок контракт?
gyeyak giganeun eolma jeongdo imnikka

2 форма '~(으)ㄹ 수 있다', присоединяясь к глаголной основе, выражает способность и возможность.

아파트를 구경할 수 있어요? : Можно посмотреть комнату?

오늘 만날 수 있어요?
oneul mannal su isseoyo
Можно встретиться сегодня?

김치를 먹을 수 있어요?
gimchireul meogeul su isseoyo
Можно есть Кимчхи?

3 Суффикс '~겠', присоединяясь к глагольной основе, образует будущее время. В зависимости от лица глагола, может означать намерение или предположение.

이 방으로 하겠습니다. : Я сниму эту комнату.

내일 다시 오겠습니다.
naeil dasi ogetseumnida
Завтра я ещё приеду сюда.

내일 거기 가겠습니다.
naeil geogi gagetseumnida
Завтра я пойду туда.

영화관에 같이 가시겠습니까?
yeonghwagwane gachi gasigetseumnikka
Вы хотите поехать в кинотеатр со мной?

4 Соедительное окончание '~고' прибавляется к глагольной основе в однородных предложениях.

깨끗하고 좋다. : Чистая и хорошая.

하늘이 파랗고 맑다.
haneuri parako maltda
Небо- голубое и ясное.

음식이 짜고 맵다.
eumsiigi jjago maepda
Блюдо- солёное и острое.

5 Частица '~와/~과' присоединяется к существительным в однородных предложениях. Когда существительное оканчивается на согласный, употребляется '~과', а на гласный, употребляется '~와'.

이름과 주소와 여권 번호
: имя, адрес и номер паспорта

바나나와 사과와 오렌지 Банан, яблоко и апельсин.
bananawa sagwawa orenji

음식과 음료수 Еда и напитки
eumsikgwa eumryosu

⑥ Конструкция '~도록 하다/합시다', присоединяясь к глагольной основе, имеет значение 'давайте решим сделать что-либо'.

계약서를 작성하도록 합시다. : Давайте составим контракт.

공부를 하도록 합시다.
gongbureul hadorok hapsida
Давайте заниматься.

불고기를 먹도록 합시다.
bulgogireul meokdorok hapsida
Давайте покушаем Пулгоги.

공부를 하도록 하자.
gongbureul hadorok haja
Давай заниматься.

불고기를 먹도록 하자.
bulgogireul meokdorok haja
Давай покушаем Пулгоги.

Упражнения

1 Измените глагольную форму.

Пример
하다 → 할 수 있다. могу делать
먹다 → 먹을 수 있다. могу кушать

(1) 쓰다 → ________ могу писать
(2) 가져오다 → ______ могу принести
(3) 가다 → ________ могу идти
(4) 사다 → ______ могу купить

2 Напишите цену, используя числительные китайского счёта.

Пример
1,000,000원 → 백만 원

(1) 2,500,000원 → ____________
(2) 3,000,000원 → ____________
(3) 450,000원 → ____________
(4) 150,000,000원 → ____________

3 Измените глагольную форму как показано в примере.

> **Пример**
> 가다 → 가겠어요 → 가겠습니다 → 가시겠어요?

(1) 오다 прийти → ________ → ________ → ________ ?

(2) 잡다 держать → ________ → ________ → ________ ?

(3) 놀다 играть → ________ → ________ → ________ ?

(4) 믿다 верить → ________ → ________ → ________ ?

(5) 하다 делать → ________ → ________ → ________ ?

4 Составьте однородные предложение со следующими существительными.

(1) 이름, 주소, 여권 번호

(2) 가방, 열쇠, 수첩

(3) 컴퓨터, 디스켓, 프린트

(4) 갈비, 설렁탕, 냉면

(5) 한국 사람, 나이지리아 사람, 케냐 사람

5 Составьте предложения со следующими прилагательными.

(1) 아름답다(красивый), 깨끗하다(чистый)

(2) 고요하다(тихий), 아늑하다(уютный), 넓다(широкий)

(3) 착하다(добрый), 정직하다(честный)

Практика Чтения

(1) 자취방 있어요? Вы сдаёте комнату?

(2) 계약을 하시겠어요?
Вы хотите заключить контракт?

(3) 계약 기간은 1년입니다.
Срок заключения - на год.

(4) 사무실에서 계약서를 작성합시다.
Давайте составим контракт в офисе.

(5) 지금 방 구경을 할 수 있을까요?
Сейчас можно посмотреть комнату?

제 14 과

Урок 14

은행에서 В банке

Ключевые Предложения

1. 통장을 만들려고 하는데요.
   tongjang-eul mandeulryeogo haneundeyo
   Я хотел бы открыть счёт в банке.
2. 돈을 찾으려고 하는데요.
   doneul chajeuryeogo haneundeyo
   Я собираюсь снять деньги из банка.

▪Диалоги▪

Диалог 1

존 : 통장을 만들려고 하는데요.
tongjang-eul mandeullryeogo haneundeyo
Я собираюсь открыть счёт в банке.

은행원: 신청서를 작성해 주세요.
Sincheongseoreul jakseonghae juseyo
Напишите Ваше заявление.

존 : 여기에는 무엇을 씁니까?
yeogieneun mueoseul sseumnikka
Что мне надо здесь вписать?

은행원: 여권 번호를 써 주세요.
yeogwon beonhoreul sseo juseyo
Впишите номер паспорта.

그리고 도장과 신분증을 주세요.
geurigo dojanggwa sinbunjeung-eul juseyo
И дайте мне Вашу печать и удостоверение.

존 : 다 썼는데 이제 어떻게 하지요?
da sseonneude ije eotteoke hajiyo
Я заполнил, и теперь что дальше?

은행원: 잠시만 기다려 주세요.
jamsiman gidaryeo juseyo
Подождите минутку, пожалуйста.

(잠시 후)(через несколько минут)

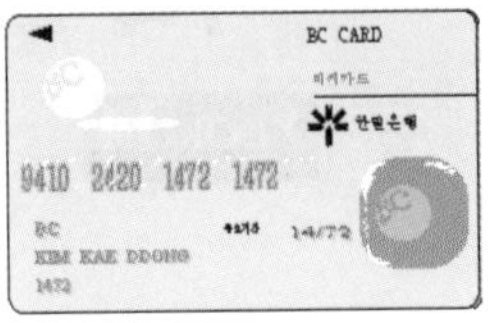

은행원: 여기 통장과 현금 카드가 있습니다.
yeogi tongjanggwa hyeongeum kadeuga itseumnida
Вот Ваша банковская книжка и денежная наличная карточка.

존 : 감사합니다. gamsahamnida Спасибо.

Диалог 2

존 : 돈을 찾으려고 하는데요. Я хотел бы снять деньги со счёта.
doneul chajeuryeogo haneundeyo

은행원: 통장과 지급 신청서를 작성해 주세요.
tongjanggwa jigeub sincheongseoreul chakseonghae juseyo
Дайте Вашу банковскую книжку и заполните бланк.

도장을 주시고, 비밀 번호를 적어 주세요.
dojang-eul jusigo bimil beonhoreul chjeogeo juseyo
Дайте мне Вашу печать и запишите Ваш секретный номер.

존 : 여기 있습니다. yeogi itseumnida Вот пожалуйста.

은행원: 여기 십만 원 짜리 수표 한 장과 현금 3만 원입니다.
yeogi sipman won-jjari supyo han janggwa hyeongeum samman wonimnida
Вот чек по 100,000 вон и наличные деньги 30,000 вон.

확인해 보세요.
whaginhae boseyo
Проверьте, пожалуйста.

존 : 감사합니다.
gamsahamnida
Спасибо.

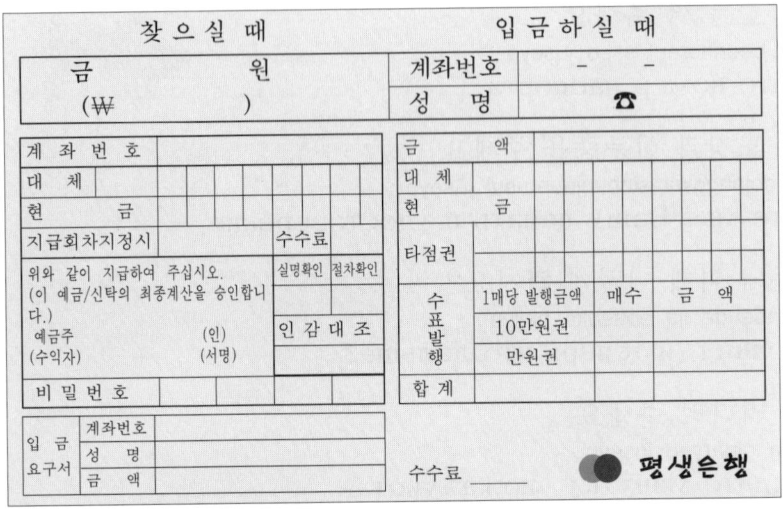

찾으실 때		입금하실 때	
금 원		계좌번호	- -
(₩)		성 명	☎

계 좌 번 호			
대 체			
현 금			
지급회차지정시		수수료	
위와 같이 지급하여 주십시오. (이 예금/신탁의 최종계산을 승인합니다.) 예금주 (수익자) (인) (서명)		실명확인	절차확인
		인 감 대 조	
비 밀 번 호			
입 금 요구서	계좌번호		
	성 명		
	금 액		

금 액			
대 체			
현 금			
타점권			
수표발행	1매당 발행금액	매수	금 액
	10만원권		
	만원권		
합 계			

수수료 ______ 평생은행

Слова и Фразы

- 모두 всё, все
- 돈 деньги
- 인출 снять деньги со счёта
- 쓰다 написать
- 현금 наличные деньги
- 그리고 и
- 찾다(인출) снять деньги со счёта
- 확인해 보다 пробовать проверить
- 여권 번호 номер паспорта
- 도장 печать
- 저금하다 вложить деньги на счёт
- 신분증 удостоверение личности
- 현금 카드 денежная наличная карточка
- 기다리다 ждать
- 적다 записать
- 수표 чек
- 신청서 заявка
- 작성하다 заполнить
- 확인하다 проверить
- 비밀 번호 секретный номер
- 지급 신청서 бланк
- 통장 банковская книжка
- 만들다 сделать, открыть
- 만들려고 намереваться сделать

Структуры И Выражения

1 форма '~(으)려고 하다', присоединяясь к глагольной основе, выражает замысел или намерение. Когда глагольная основа оканчивается на гласный, употребляется '~려고 하다', а когда на согласный, употребляется '~(으)려고 하다'. Соедительное окончание '~는데', присоединяясь к глагольной основе, выражает обстоятельство или предпосылку и обозначает 'хотел бы –'.

통장을 만들려고 하는데요. : Я собираюсь открыть счёт в банке.

한국어를 배우려고 하는데요. Я хотел бы заниматься корейским языком.
hangugeoreul baeuryeogo haneundeyo

도서관에서 책을 읽으려고 하는데요.
doseogwaneseo chaegeul ilgeuryeogo haneundeyo
Я хотел бы читать книгу в библиотеке.

2 Соедительный глагол '~아/어/여 주다', присоединяясь к глагольной основе, выражает просьбу.

써 주세요. : Напишите-

여권 번호를 써 주세요. Напишите номер паспорта.
yeogwon beonhoreul sseo juseyo

신청서를 작성해 주세요. Составьте заявление.
sincheongseoreul chakseonghae juseyo

비밀번호를 적어 주세요. Запишите секретный номер.
bimilbeonhoreul jeogeo juseyo

잠시만 기다려 주세요. Подождите минутку, пожалуйста.
chamsiman gidaryeo juseyo

3 Частица '~은/는' обозначает тему предложения. Она также употребляется для выражения противоположности и выделения чего-либо.

> **여기에는 무엇을 씁니까?** : А здесь что написать?

4 Данное окончание '~고', прибавляется к глагольной основе, когда в предложении есть однородные глагола.

> **도장을 주시고 비밀번호를 적어 주세요.** : Дайте мне Вашу печать и запишите Ваш секретный номер.

신청서를 작성하고 사인해 주세요.
sincheongseoreul jakseonghago sainhae juseyo
Напишите заявление и подпишитесь, пожалуйста.

통장은 여기 있고 현금카드는 여기 있습니다.
tongjang-eun yeogi itgo hyeongeumkadneun yeogi isseumnida
Вот банковская книжка и денежная карточка.

5 Вспомогательный глагол '~아/어/여 보다', присоединяясь к глагольной основе, обозначает 'попробовать какое-либо действие', 'постараться'

> **확인해 보세요.** : Проверьте-

찾아 보세요. Попробуите найти.
chaja boseyo

기다려 보세요. Подождите.
gidaryeo boseyo

가 보세요. Идите, посмотрите.
ga boseyo

1 Составьте диалоги согласно примерам приведенным в упражнении.

(1)

Пример

여기에는 무엇을 씁니까? (여권 번호) → 여권 번호를 써 주세요.

А здесь что писать?(номер паспорта)→ Напишите номер паспорта.

① 여기에는 무엇을 씁니까? (생년월일 день рождения)

→ ______________________.

② 여기에는 무엇을 씁니까? (이름 имя)

→ ______________________.

③ 여기에는 무엇을 씁니까? (비밀 번호 секретный номер)

→ ______________________.

④ 여기에는 무엇을 씁니까? (현주소 нынешний адрес)

→ ______________________.

(2)

Пример

통장을 만들다. → 통장을 만들려고 하는데요.

открыть счёт в банке → Я собираюсь открыть счёт в банке.

① 집에 가다. идти домой

→ ______________________.

② 공원에서 놀다. играть в парке

→ ______________________.

③ 오늘 식당에서 밥을 먹다. кушать в столовой сегодня

→ ______________________.

④ 도서관에서 공부를 하다. заниматься в библиотеке

→ ______________________.

⑤ 방에서 책을 읽다. читать книгу в комнате

→ ______________________.

(3)

Пример

통장을 만들다. → 통장을 만들려고 하는데요.

открыть счёт в банке Я собираюсь открыть счёт в банке.

① 여기에 쓰다. написать здесь
→ ______________________.

② 학교에 가다. идти в школу
→ ______________________.

③ 공책을 찾다. искать тетрадь
→ ______________________.

④ 책을 읽다. читать книгу
→ ______________________.

⑤ 창문을 열다. открыть окно
→ ______________________.

2 Составьте из 2 предложений одно.

(1) 도장을 주세요. 비밀번호를 적어 주세요.

(2) 수미는 학교에 갑니다. 헨리는 은행에 갑니다.

(3) 수미는 오렌지를 먹습니다. 헨리는 귤을 먹습니다.

3 Напишите по-корейски 'Подождите минуту'.

Практика Чтения

(1) 돈을 찾으려고 하는데요.
Я хотел бы снять деньги со счёта.

(2) 지급 청구서를 작성해 주세요.
Заполните бланк.

(3) 비밀번호, 도장, 주소, 여권이 필요합니다.
Нужны секретный номер, печать, адрес и паспорт.

(4) 수표와 현금을 확인해 보세요.
Проверьте чек и наличные деньги.

(5) 신분증을 주세요.
Дайте мне ваше удостоверение.

제 15 과

Урок 15

백화점에서 В универмаге

Ключевые Предложения

1. 운동화를 사려고 해요. — Я собираюсь купить кроссовки.
   undonghwareul saryeogo haeyo
2. 사이즈는 어떻게 되요? — У Вас какой размер обуви?
   saijeuneun eotteoke dwaeyo

▪Диалоги▪

Диалог 1

안내원: 무슨 매장을 찾으십니까? Какой отдел вы ищите?
museun maejang-eul chajeusimnikka

존 : 운동화를 사려고 해요. я собираюсь купить кроссовки.
undonghwareul saryeogo haeyo

안내원: 운동화는 6층에 있습니다. Отдел кроссовок- на 6-том этаже.
undonghwaneun yukcheung-e isseumnida

존 : 엘리베이터는 어디 있습니까? Где находится лифт?
ellibeiteoneun eodi itseumnikka

안내원: 엘리베이터는 저기에 있고, 에스컬레이터는 이쪽에 있습니다.
ellibeiteoneun jeogie itgo eskeolleiteoneun ijjoge isseumnida
Лифт находится вон там, а эскалатор с этой стороны.

존 : 알겠습니다. Понятно.
algetseumnida

i

информация

Диалог 2

존 : 운동화를 사려고 해요.
undonghwareul saryeogo haeyo
я собираюсь купить кроссовки.

점원: 색깔은 파란색, 검은색, 흰색이 있어요.
saekkkareun paransaek, geomeunsaek huinsaegi isseoyo
У нас есть цвета -синий, чёрный, белый.

상표는 나이키, 프로스펙스, 아디다스가 있어요.
sangpyoneun naiki peurospekseu adidaseuga isseoyo
Фирменные марки "Nike", "Prospecs", и "Adidas".

일반 상표도 저쪽에 있어요.
ilbansangpyodo jeojjoge isseoyo
Обычные торговые марки- тоже там.

존 : 흰색 나이키가 마음에 들어요.
huinsaek naikiga maeume deureoyo
Мне нравятся белые "Nike".

그러나 일반 상표도 싸고 좋군요.
geureona ilbansangpyodo ssago jokunyo
Но и обычные изделия марки также дешёвые и хорошие.

점원: 발 사이즈가 얼마입니까?
bal saijeuga eolmaimnikka
Какой у вас размер?

존 : 265mm예요. 26,5см.
ibaek-yuksibo mirimiteoryeyo

점원: 한번 신어 보세요.
hanbeon sineo boseyo
Померьте, пожалуйста.

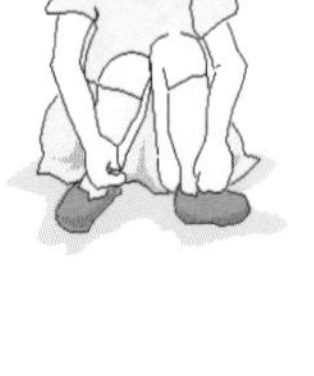

▪Слова и Фразы▪

- 찾다 найти, искать
- 엘리베이터 лифт
- 에스컬레이터 эскалатор
- 마음에 в душе
- 저기에 там
- 검은색 чёрный
- 백화점 универмаг
- 운동화 кроссовки
- 파란색 синий
- 흰색 белый
- 사다 купить
- 6층 шестой этаж
- 상표 марка
- 신다 носить
- 사이즈 размер
- ~도 тоже,также
- 한번 раз
- 안내원 гид
- 발 ноги
- 색깔 цвет
- 일반 상표 Обычные торговые марки
- 사려고 해요 собираюсь купить

Заучивание слов

Смотрите на 6 для утверждения названия цветов

Структуры И Выражения

1 форма '~(으)려고 ~하다', присоединяясь к глагольной основе, выражает замысел или намерение.

운동화를 사려고 해요. : Я собираюсь купить кроссовки.

운동화를 사려고 해요. **Я собираюсь купить кроссовки.**
undonghwareul saryeogo haeyo

백화점에 가려고 해요. **Я собираюсь поехать в универмаг.**
baekwhajeome garyeogo haeyo

2 Вспомогательный глагол '~아/어/여 보다', присоединяясь к глагольной основе, выражает 'попробовать какое-либо действие'. Глагол '신어' происходит от глагола '신다'. Глагол '보다' обозначает 'смотреть' на русском языке, но в данном случае используется как 'пробовать, испытать'.

신어 보세요. : Примерьте, пожалуйста.

한번 입어 보세요.
hanbeon ibeo boseyo
Примерьте, пожалуйста.

한번 먹어 보세요.
hanbeon meogeo boseyo
Попробуйте, пожалуйста.

3 Два именнительного могут сосуществовать в одном предложении на корейском языке как '색깔은 흰색이 있어요'.

색깔은 파란색, 검은색, 흰색이 있어요.
: У нас цвета: синий, чёрный, белый.

동물은 호랑이, 원숭이, 곰이 있어요.
dongmulreun horang-i wonsung-i gomi isseoyo
Животные-обезьяна, тигр, медведь.

신발은 운동화, 구두, 샌들이 있어요.
sinbareun undongwha gudu saendeuri isseoyo
Обувь- кроссовки, ботинки, сандалии.

4 Частица '~도', присоединяясь к существительному, обозначает тождественность или идентичность.

일반 상표도 있어요. : У нас также есть обычные торговые марки.

빨간색도 있어요.
ppalgansaekdo isseoyo
Также есть красного цвета.

연필도 있어요.
yeonpildo isseoyo
Также есть карандаш.

5 Оффицальное окончание '~군요', присоединяясь к глаголам, выражает удивление или восклицание.

일반 상표도 싸고 좋군요.
: Изделия обычных марок также дешёвые и хорошие.

나이키도 튼튼하고 좋군요.
naikido tteuntteunhago jokunyo
Nike также крепкие и хорошие.

흰색도 깨끗하고 예쁘군요.
huinsaekdo kkaekkeutago yeppeugunyo
Белый также чистый и красивый.

1 Составьте диалоги согласно примерами, приведенным в упражнении.

(1)

Пример

어느 매장을 찾으세요? (와이셔츠를 사다. купить рубашку)

Какой отдел вам нужен?

→ 와이셔츠를 사려고 해요. Я собираюсь купить рубашку.

① 어디를 찾으세요? (구두를 사다. купить ботинки)

→ ________________________.

② 어디를 찾으세요? (양복을 사다. купить костюм)

→ ________________________.

③ 어디를 찾으세요? (색동이불을 사다. купить цветное бельё)

→ ________________________.

④ 어디를 찾으세요? (가전제품을 사다. купить электробытовые приборы)

→ ________________________.

(2)

Пример

식료품 매장은 어디입니까? Где находится продуктый отдел?

→ 식료품 매장은 지하 1층입니다.

Продуктый отдел находится на первом этаже в подвале.

① 의류 매장(отдел одежды)은 어디입니까? (5층)

→ ________________________.

② 신사복 매장(отдел костюмов)은 어디입니까?(3층)

→ ________________________.

③ 전자제품 매장(отдел электронных изделий)은 어디입니까? (7층)

→ ________________________.

(3)

Пример

얼마예요? (14,500원) Сколько стоит?

→ 만사천오백 원입니다. Четырнадцать тысяч пятьсот вон.

(1) 이 공책(эта тетрадь)은 얼마예요? (430원)

→ ________________________.

(2) 이 주스(сок)는 얼마예요? (3,200원)

→ ______________________________.

(3) 그 과자(конфеты)는 얼마예요? (2,800원)

→ ______________________________.

2 Составьте одно предложение из двух.

(1) 엘리베이터는 저기에 있습니다. Лифт находится с той стороны. 에스컬레이터는 이쪽에 있습니다. Эскалатор находится с этой стороны.

(2) 운동화는 6층에 있어요. Кроссовки- на 6-том этаже. 옷은 4층에 있어요. Отдел одежды- на 4-том этаже.

(3) 프로스펙스는 이쪽에 있어요. "Prospecs"- с этой стороны. 일반 상표는 저쪽에 있어요. Изделия обычных торговых марок- вон там с этой стороны.

3 Переделайте предложения, используя частицу '~도'.

(1) 일반 상표가 싸고 좋아요. Изделия торговых марок-дешёвые и хорошие.

→ ______________________________.

(2) 검은색이 좋아요. Мне нравится чёрный цвет.

→ ______________________________.

(3) 사과가 좋아요. Я люблю яблоки.

→ ______________________________.

(4) 바지가 좋아요. Мне нравятся брюки.

→ ______________________________.

(5) 한국어가 좋아요. Я люблю корейский язык.

→ ______________________________.

Практика Чтения

(1) 셔츠를 사려고 해요. я собираюсь купить рубашку.

(2) 운동화는 4층에 있어요. Отдел кроссовок- на 4-том этаже.

(3) 목 사이즈가 얼마입니까? Какой Ваш размер горла?

(4) 검은색 프로스펙스 운동화가 마음에 들어요.
Чёрные кроссовки "prospecs" мне нравятся.

(5) 한번 신어 보세요. Померьте, пожалуйста.

제 16 과

Урок 16

편지 쓰기 Писать письмо

Ключевые Предложения

1. 어떻게 지내셨습니까?
eotteoke jinaesyeotseumnikka
Как дела?

2. 연락을 기다리겠습니다.
yeollageul gidarigetseumnida
Жду Вашего ответа.

알 림

Обьявление

사무엘 로이그 씨에게
Самуелу Рогу.

안녕하세요? 어떻게 지내셨습니까? 태평양 대학교 한국어반 졸업생과 재학생의 친목모임이 있습니다. 부디 오셔서 동문들과 의미 있는 시간을 가지시기 바랍니다.

annyeonghaseyo eotteoke jinaesyeotseumnikka taepyeongyang daehakgyo hankugeoban joreopsaenggwa jaehaksaeng-ui chinmokmoimi itseumnida budi osyeoseo dongmundeulgwa uimiinneun siganeul gajis0igi baramnida

Здарвствуйте, как дела? Студенческий комитет приглашает Вас на собирание-встречу с выпускниками и студентами кафедры корейского языка Университета Тэпёнгянг. Примите наше приглашение. Желаем приятно провести время с нами.

일　시 : 5월 5일 (Дата: 5 Мая.)
장　소 : 종로 2가 미리내 레스토랑 (Место: В ресторане Мирине Чонгро 2.)
시　간 : 12:00 PM (Время: 12:00)
준비물 : 식사비 (Приготовить: расходы на питания)

만나 뵙기를 바랍니다. 안녕히 계십시오.
manna boepgireul baramnida annyeong-hi gyesipsio
(Надеемся на встречу. До свидания.)

2004년 4월 20일(20 Апреля 2004.)
존 알렌 올림(От Джон Аллена.)
한국어반 동문회장(Председатель студенческого союза корейского языка.)

초 대 장
Приглашение

유미 씨에게 (Госпоже Юми.)
yumi ssiege

어떻게 지내셨어요?
이번 3월 17일에 존의 생일 파티가 있습니다. 하지만 존에게는 비밀이에요. 깜짝파티를 해 주고 싶거든요. 시간이 나면 저의 집으로 5시까지 오세요. 낸시와 가드윈 그리고 차오민도 올 것입니다. 존에게는 7시에 잠시 들르라고 부탁했어요.

eotteoke jinaesyeosseoyo
ibeon samwol sipchilil jonui saengil patiga itseumnida hajiman jonegeneun bimirieyo kkamjjak patireul haejugo sipgeodeunyo sigani namyeon jeoui jibeuro daseosikkaji oseyo naensiwa gadeuwin geurigo chaomindo ol geosimnida jonegeneun ilgopsie jamsi deulreurago butakhaesseoyo

(Как дела?
Мы устраиваем вечеринку по случаю дня рождения Джона 17 ого Марта. Но для него это секрет, потому что мы хотим устроить сюрприз. Если у вас будет время, приходите к нам в гости к 5 часам. Нэнси, Гадвин и Жаомин тоже приглашены. Я попросил Джона зайти к нам на минутку в 7 часов.)

회답을 기다릴게요. (Я жду Вашего ответа.)
안녕히 계세요. (До свидания.)
hoedabeul gidarilgeyo
an-nyeong-hi kyeseyo

2004년 3월 17일(17 марта 2004.)
브라이언 드림(Врайон)

▪Слова и Фразы▪

• 알림	обьявление	• 지내다	жить		
• 졸업생	выпускник	• 부디	пожалуйста	• 가지다	иметь
• 일시	дата	• 만나다	встретиться с	• 잘	хорошо
• 집	дом	• 오세요	приходите	• 오다	прийти
• 기다리다	ждать	• ~씨에게	к кому	• 준비물	материал
• 이번	этот раз	• 장소	место	• 해 주다	сделать
• 그 날	тот день	• 연락	связь, контакт	• 하지만	а, но
• 비밀	секрет	• 부탁하다	просить, поручать	• ~까지	-до
• 올 것이다	придут	• ~고 싶다	хотеть	• 잠시	минутку

• 친목 установление отношения между (с кем)
• 동문 студенты, которые окончили один университет
• 한국어반 класс по корейскому языку
• 재학생 студент

• 동문회	встреча с выпускниками	• 의미 있는	многозначительный
• 모임	сбор, собрание	• 식사비	расходы на питане
• 생일 파티	вечер по случаю дня рождения	• 깜짝파티	вечеринка сюприз
• 바라다	желать, надеяться	• 초대장	пригласительный билет
• 시간이 나다	время позволит	• 들르다	(по дороге) заходить

Заучивание слов

그저께	позавчера
어제	вчера
오늘	сегодня

Структуры И Выражения

1 В начале письма пишется имя получателя, и присоединяется к дательной частице '~씨께/~님께/~에게'. '~에게' и '~께' имеют одно и то же значение.

사무엘 로이그 씨에게	господину Самуелу Логу.
김유리 씨께	госпоже Ким Юри.
이선미 선생님께	Учителю Ри Сон Ми.
지미에게	Джиму.(дитя)

2 При приветствии используют выражения как показано в примере.

안녕하세요? 어떻게 지내셨습니까?
: Здравствуйте? Как дела?

3 При прощании используется предложения как показано в примере.

회답을 기다릴게요. 안녕히 계십시오. / 안녕히 계세요.
: Я жду Вашего ответа. До свидания.

만나 뵙기를 바랍니다. 안녕히 계십시오.
: До встречи. До свидания.

4 Вы должны написать дату в конце письма с вашей подписью. После подписи, Вы должны приложить '드림' или '올림'. '올림' используется с уважением. И '드림' используется к более близким получателям отправителя. А если Вы пишете Вашим друзьям или людям, в этом случае Вы может использовать '씀'.

2004년 1월 28일 존 알렌 올림	2004년 2월 3일 사무엘 로이그 드림	2004년 3월 2일 김유리 씀

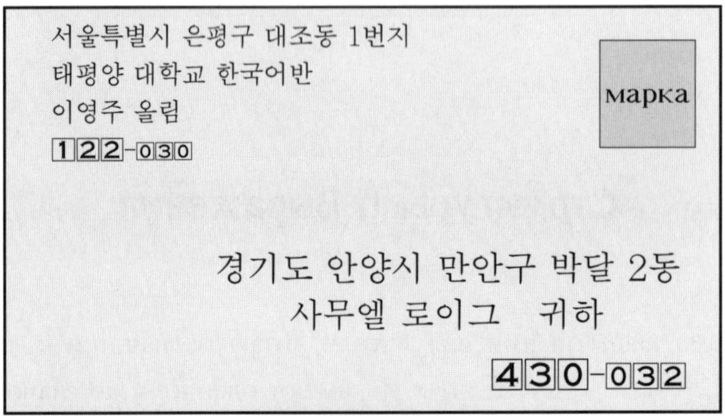

Упражнения

1 Что необходимо написать в письме перед приветствием? Ответьте, используя следующие имена.

(1) 이수미 → ________ (2) 존 알렌 → ________

(3) 김유리 → ________ (4) 이영주 선생님 → ________

(5) 박지미(дитя) → ________

2 Напишите приветствие в письме.

→ ______________________________.

3 Напишите заключительную фразу в письме.

→ ______________________________.

4 Подпишите письмо и поставьте дату, используя данные в скобках условия.

(1) 2004년 1월 5일, 김영자 (Она пишет своим родителям.)

(2) 2004년 2월 21일, 이인수 (Он пишет своему учителю.)

(3) 2004년 3월 13일, 박혜진 (Она пишет своим друзьям.)

5 Напишите обьявление, извещающее студентов о пикнике в парк Everland. Сбор предположительно пятого мая в одиннадцать часов утра при входе в парк.

6 Напишите письмо другу корейцу.

Упражнения

7 Напишите адрес отправителя и получателя на конверте в уважительной форме.

Отправитель Имя : 김은희
Адрес : 서울특별시 광진구 자양동 211번지 은마아파트 201동 502호
Почтовый индекс : 148-204

Получатель Имя : 박진우
Адрес : 대구광역시 남구 대명동 123번지
Почтовый индекс : 192-143

Практика Чтения

(1) 어떻게 지내셨습니까? Как дела?

(2) 다섯 시까지 오세요. Приходите к нам до 5 часов.

(3) 6월 21일 혜영이의 결혼식이 있습니다.
Свадьба Хэёнг является 21-ого июня.

(4) 연락을 기다리겠습니다. Жду Вашего ответа.

(5) 만날 수 있기를 바랍니다. Надеюсь на встречу.

제 17 과

Урок 17

어디가 아프십니까? Что у Вас болит?

Ключевые Предложения

1. 등이 아파서 움직일 수가 없습니다. deung-i apaseo umjigil suga eopsseumnida
   У меня болит спина, поэтому не могу двигатыя.
2. 금방 나아지겠습니까? Скоро я поправлюсь?
   geumbang naajigetseumnikka

▪Диалоги▪

Диалог 1

119대원: 119 구조대입니다. Говорит спасательная команда 119.
il-il-gu gujodaeimnida

푸 휘: 계단에서 넘어졌는데 움직일 수가 없습니다.
gyedaneseo neomeojyeotneunde umjigil suga eopseumnida
Я упал с лестницы и не могу двигаться.

도와 주세요. Помогите, пожалуйста.
dowajuseyo

119대원: 주소와 전화 번호를 천천히 말씀해 주십시오.
jusowa jeonhwabeonhoreul cheoncheonhi malseumhae jusipsio
Назовите медленно Ваш адрес и номер телефона.

푸 휘: 주소는 강남구 신사동 11번지이고,
jusoneun gangnam-gu sinsa-dong sibilbeonjiigo
Адрес–Кангнамгу Синсадонг 11

전화 번호는 511-2936입니다.
jeonhwabeonhoneun o-il-il-i-gu-sam-yukimnida
и номер телефона 511-2936.

119대원: 예, 알겠습니다. 곧 가겠습니다.
ye algesstseumnida got gagetseumnida
Да, понятно. Скоро приедем.

Диалог 2 (병원에서) (В госпитале)
byeongwoneseo

의 사: 어디가 아프십니까? Что у Вас болит?
eodiga apeusimnikka

푸 휘: 등이 아파서 움직일 수가 없습니다.
deungi apaseo umjigil suga eopsseumnida
Я не могу двигаться, потому что у меня болит спина.

의 사: 찜질약을 매일 등에 붙이십시오.
jjimjilyageul maeil deunge buchisipsio
Каждый день прикладывайте компресс на спину.
진통제는 식사 후에 드세요.
jintongjeneun siksa hue deuseyo
Принимайте болеутоляющее после еды.

푸 휘: 금방 나아지겠습니까? Скоро я поправлюсь?
geumbang naajigetseumnikka

의 사: 3, 4일이면 나아질 거라고 생각합니다.
sam, sailimyeon naajil georago saenggakhamnida
Я думаю, что Вам будет получше через 3-4 дня.
하지만, 심한 운동은 하지 마십시오.
hajiman, simhan undong-eun haji masipsio
Но не делайте резких движении.

푸 휘: 예, 감사합니다. Да, спасибо.
ye, gamsahamnida

▪Слова и Фразы▪

- 넘어지다 упасть
- 생각하다 думать
- 전화 번호 номер телефона
- 말(말씀)하다 сказать
- 말씀해 주세요 скажите
- 가겠습니다 прийду-
- 계단 лестница
- 나아질 거라고 говорят, что пройдёт
- 심한 сильный, тяжёлый, резкий
- 찜질약 компресс
- 진통제 болеутоляющее средство
- 마십시오 не делайте-
- 119구조대 119 спасательная команда
- 붙이다 положить, накладывать
- 삼, 사(3, 4)일이면 приблизительно через 3, 4 дня
- 식사 후 после обеда
- 나아지다 поправляться
- ~수 없다 не могу~
- 매일 каждый день
- 하지만 а, но
- 아프다 болит
- 움직이다 двигать
- 드세요 ешьте, принимайте
- 운동 зарядка, спорт
- 도와 주세요 помогите
- 금방(곧) сразу, скоро
- 진찰 медицинский осмотр
- 어디 где
- 천천히 медленно
- 주소 адрес
- ~후 после
- 등 спина
- 하다 делать
- 돕다 помочь

Заучивание слов

Симптомы Болезни

목이 아프다 mogi apeuda
болит горло

머리가 아프다 meoriga apeuda
болит голова

열이 있다 yeori itda
есть температура

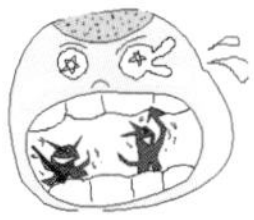

이가 아프다 iga apeuda
болит зуб

피부가 가렵다 pibuga garyeopda
зуд

콧물이 나다 konmuri nada
насморк

주사를 놓다 jusareul nota
делать укол

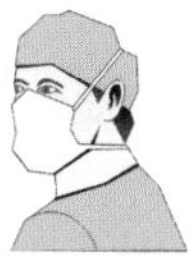

수술하다 susulhada
делать операцию

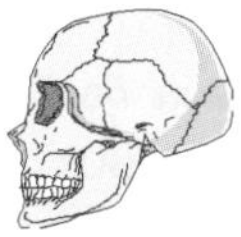

엑스레이를 찍다 eks-reireul jjikda
снимать рентген

Структуры И Выражения

1 Соедительная частица '～아/～어/～여서', присоединяясь к глагольной основе, выражает, что действие главного предложения заключает в себе причину действия придаточного предложения.

> **등이 아파서 움직일 수가 없습니다.**
> : У меня болит спина, поэтому не могу двигаться.

머리가 아파서 걸어갈 수가 없습니다.
meoriga apaseo georeogal suga eopsseumnida
У меня болит голова, поэтому не могу ходить.

목이 아파서 밥을 먹을 수가 없습니다.
mogi apaseo babeul meogeul suga eopsseumnida
У меня болит горло, поэтому не могу есть.

콧물이 나서 공부할 수가 없습니다.
konmuri naseo gongbuhal suga eopsseumnida
Я не могу заниматься из-за насморка.

늦게 자서 일어날 수가 없습니다.
neutge jaseo ireonal suga eopsseumnida
Я не могу встать, потому что я лёг спать поздно.

2 '~(으)ㄹ거라고 생각합니다' выражает предположение или мысль говорящего.

3, 4일이면 나아질 거라고 생각합니다.
: Я думаю, что станет лучше через 3-4 дня.

그는 한국어를 공부할 거라고 생각합니다.
geuneun hangugeoreul gongbuhal georago saenggakhamnida
Я думаю, что он будет заниматься корейским языком.

그는 내일 결석할 거라고 생각합니다.
geuneun naeil gyeolseokal georago saenggakhamnida
Я думаю, что он пропустит урок завтра.

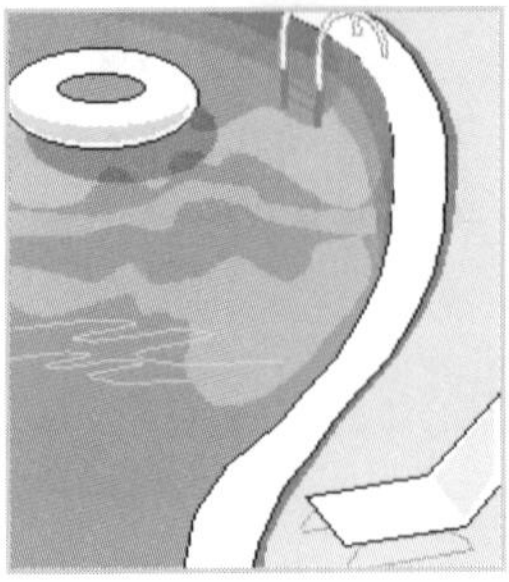

그는 이번 주까지 올 거라고 생각합니다.
geuneun ibeon jukkaji ol georago saenggakhamnida
Я думаю, что он приедет на этой неделе.

그는 수영장에서 수영할 거라고 생각합니다.
geuneun suyeongjang-eseo suyeonghal georago saenggakhamnida
Я думаю, что он плавает в бассейне.

그는 곧 나아질 거라고 생각합니다.
geuneun got naajil georago saenggakhamnida
Я думаю, что ему скоро станет лучше.

3 '~지 말다', присоединяясь к глагольными основами, передаёт ответ на приказ или советует, и выражает 'Не -ите что-либо'. Частица '~은/는' может быть заменен '~을/를' в этом случае.

심한 운동은 하지 마십시오.
: Не делайте резких движении.

술은 마시지 마십시오.
sureun masiji masipsio
Не пейте спиртное.

결석은 하지 마십시오.
gyeolseog-eun haji masipsio
Не пропускайте урок.

담배는 피우지 마십시오.
dambaeneun piuji masipsio
Не курите.

④ Соедительное окончание '~고' соединяет два (простого союза) 'а'.

저는 나이지리아 사람이고, 친구는 한국 사람입니다.
jeoneun naijiria saramigo, chin-guneun hanguk saramimnida
Я-нигериец, а мой друг-кореец.

저는 도서관에 가고, 친구는 식당에 갑니다.
jeoneun doseogwane gago chin-guneun sikdang-e gamnida
Я иду в библиотеку, а мой друг идёт в столовую.

⑤ Суффикс '~겠' обозначает будущее время, намерение или предположение. В этом случае суффикс '~겠' обозначает будущее время и предположение.

금방 나아지겠습니까?
geumbang naajigetseumnikka
Скоро поправится?

내일 전화하겠습니다.
naeil jeohwahagetseumnida
Я позвоню завтра.

⑥ Соедительное окончание '~는데', присоединяясь к глагольной основе, выражает обстояетельство или предпосылку.

넘어졌는데 움직일 수가 없습니다.
neomeojyeonneunde umjigil suga eosseumnida
Я упал и не могу двигатся.

공부하는데 조용히 하십시오.
gongbuhaneunde joyonghi hasipsio
Тише, пожалуйста, я занимаюсь!.

Упражнения

1 Переделайте предложение согласно приведенному примеру.

(1)

Пример
허리가 아프다. → 허리가 아파서 공부할 수가 없습니다.

① 열이 있다. → ____________________.

② 목이 아프다. → ____________________.

③ 기침이 나다. → ____________________.

④ 콧물이 나다.　→ ____________.

⑤ 머리가 아프다.　→ ____________.

(2)

Пример
움직이다. → 움직일 수가 없습니다.

① 밥을 먹다.　→ ________.　② 잠을 자다.　→ ________.

③ 운동을 하다.　→ ________.　④ 일찍 일어나다.　→ ________.

⑤ 술을 마시다.　→ ________.

2 Ответьте на вопросы.

(1) 금방 나아지겠습니까? Скоро станет лучше?

(2) 언제, 왜 갔었습니까? Когда и почему Вы ушли?

(3) 어디가 아팠습니까? Что у Вас болит?

(4) 의사 선생님은 무슨 말씀을 하셨습니까? Что врач сказал?

Практика Чтения

(1) 계단에서 넘어져 119 구조대에 전화를 걸었습니다.
Я упал с лестницы и позвонил спасательной команде 119.

(2) 주소와 전화번호를 말씀해 주세요.
Назовите Ваш адрес и номер телефона.

(3) 다리가 아파서 움직일 수가 없습니다.
У меня болит нога и я не могу двигаться.

(4) 의사가 진통제를 주었습니다.
Врач дал мне болеутоляющее средство.

(5) 3, 4일이면 나아질 거라고 했습니다.
Врач сказал, что мне будет получше через 3-4 дня.

제 18 과

Урок 18

무슨 운동을 좋아하십니까?

Какой вид спорта Вы любите?

Ключевые Предложения

1. 테니스는 좋아하지 않지만, 수영은 좋아합니다.
   tenisneun joahaji anchiman suyeong-eun joahamnida
   Я не люблю теннис, но люблю плавание.
2. 무슨 음료수를 좋아하십니까? Какой напиток Вы любите?
   museun eumryoreul joahasimnikka

▪Диалоги▪

Диалог 1

푸휘: 어제는 무엇을 하셨습니까?
eojeneun mueoseul hasyeotseumnikka
Что Вы делали вчера?

영주: 운동과 쇼핑을 했습니다.
undonggwa syoping-eul haetseumnida
Я занималась спортом и делала покупки.

푸휘: 무슨 운동을 좋아하십니까?
museun undong-eul joahasimnikka
Какой вид спорта Вы любите?

영주: 테니스를 좋아합니다. Я люблю теннис.
teniseureul joahamnida

푸휘 씨는 어떻습니까? А Вы, господин Пухи?
Puhwi ssineun eotteoseumnikka

푸휘: 저는 테니스는 좋아하지 않지만, 수영은 좋아합니다.
jeoneun tenisneun joahaji anchiman suyeong-eun joahamnida
Я не люблю тенис, но люблю плавание.

영주: 저도 수영을 좋아하니까, 이번 주말에 수영하러 같이 가지 않겠습니까?
jeodo suyeong-eul joahanikka ibeon jumale suyeonghareo gachi gaji anketseumnikka
Я тоже люблю плавание, не хотите ли пойти со мной в бассейн на этих выходных?

푸휘: 예, 좋습니다. Да, хорошо.
ye chossŭmnida

Диалог 2 (수영장에서) (В бассейне)
suyeongjang-eseo

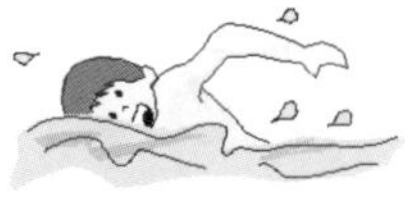

영주: 푸휘 씨는 정말로 수영을 잘 하시는군요.
puhwi ssineun jeongmallo suyeong-eul jal hasineun-gunyo
Вы действительно хорошо плаваете!

이제 음료수를 마시러 가지 않겠습니까?
ije eumryosureul masireo gaji anketseumnikka
А теперь не хотите ли Вы что-нибудь выпить?

푸휘: 그렇게 합시다. Да, давайте выпьём.
geureo hapsida

무슨 음료를 좋아합니까? Какой напиток Вы любите?
museun eumryoreul joahamnikka

영주: 오렌지 주스, 사이다, 콜라는 좋아합니다만, 커피는 좋아하지 않습니다.
orenji jus saida kollaneun joahamnidaman keopineun joahaji ansseumnida
Я люблю апельсиновый сок, спрайт и колу, но не люблю кофе.

푸휘: 저도 커피는 싫어합니다. Я тоже не люблю кофе.
jeodo keopineun sireohamnida

영주: 저기에 자판기가 있습니다.
jeogie japangiga itseumnida
Там есть автомат.

▪Слова и Фразы▪

- 어제 вчера
- 무슨 какой
- 테니스 теннис
- 않다 не, нет
- 좋아하지 않지만 не люблю, но
- 이번에 в этот раз
- 수영하러 чтобы плавать
- 가지 않겠습니까? не пойдёте ли
- 정말로 действительно
- 이제 теперь
- 마시다 пить
- 마실 것 то, что пить
- 사이다 спрайт
- 좋아합니다만 люблю, но
- 쇼핑 покупка
- 좋아하다 любить
- 어떻습니까? как
- 수영 плавание
- 저 я
- 주말 выходные дни
- 같이 вместе с
- 좋습니다 хорошо
- 잘 хорошо
- 음료수 напиток
- 그렇게 так
- 오렌지 주스 апельсиновый сок
- 콜라 кола
- 커피 кофе

- 싫어하다 не любить
- 자판기 автомат
- 무엇을 что
- 저기에 там
- 있다 есть

Заучивание слов

Спорт

농구를 하다
nong-gureul hada
играть в баскетбол

축구를 하다
chuk-gureul hada
играть в футбол

야구를 하다
yagureul hada
играть в бейсбол.

테니스를 치다
tenisureul chida
играть в теннис

골프를 치다
golpeureul chida
играть в гольф

스키를 타다
skireul tada
кататься на лыжах

수영을 하다
suyeong-eul hada
плавать

태권도를 하다
taegwondoreul hada
заниматься тэквондо

Структуры И Выражения

1 форма ‘무슨’ из ‘무엇’, переводится ‘какой’ на русский язык и обратите внимание, что ‘무슨’~ прилагательный, а ‘무엇’ принадлежит существительному функциональной категории.

무슨 운동을 좋아하십니까? Какой вид спорта Вы любите?	**무엇을 좋아하십니까?** Что Вы любите?

무슨 요리를 좋아하십니까?
museun yorireul joahasimnikka
Какое блюдо Вы любите?

무슨 색을 좋아하십니까?
museun saegeul joahasimnikka
Какой цвет Вы любите?

무슨 음악을 좋아하십니까?
museun eumageul joahasimnikka
Какая музыка Вам нравится?

무슨 과일을 좋아하십니까?
museun gwaireul joahasimnikka
Какие фрукты Вы любите?

② Когда вы хотите выразить своё отношение к чему-либо, кому-либо, используите выражение '~을/를 좋아하다', 'нравиться', 'любить'.

수영을 좋아합니다. : Я люблю плавание.

야구하는 것을 좋아합니다.
yaguhaneun geoseul joahamnida
Я люблю играть в бейсбол.

태권도하는 것을 좋아합니다.
taegwondohaneun geoseul joahamnida
Я люблю заниматься тэквондо.

스키 타는 것을 좋아합니다.
ski taneun geoseul joahamnida
Я люблю кататься на лыжах.

테니스 치는 것을 좋아합니다.
tenis chineun sgeoseul joahamnida
Я люблю играть в теннис.

탁구 치는 것을 좋아합니다. Я люблю играть в настольный теннис.
takgu chineun geoseul joahamnida

③ '~지만', присоединяясь к глагольной основе, выражает утверждение или действие предыдущего предложения, и в то же время обозначает 'Хотя-' на русском языке.

수영은 좋아하지만, : Я люблю плавание, но-
수영은 좋아하지 않지만, : Я не люблю плавание, но-

수영은 좋아하지 않지만, 테니스는 좋아합니다.
suyeog-eun joahaji anchiman tenisneun joahamnida
Я не люблю плавание, но люблю теннис.

영화는 좋아하지만, 음악은 좋아하지 않습니다.
yeonghwaneun joahajiman euageun joahaji anseunida
Я люблю кино, но не люблю музыку.

④ '~지 않겠습니까?' выражает 'Не хотите ли вы~' на русском языке.

주말에 테니스 치러 가지 않겠습니까?
: Не поедете ли Вы в эти выходные поиграть со мной в теннис?

골프 치러 가지 않겠습니까?
golpeuchireo gaji anketseumnikka
Не поедете ли Вы играть в гольф?

영화 보러 가지 않겠습니까?
yeonghwa boreo gaji anketseumnikka
Не поедете ли Вы в кино?

식사하러 가지 않겠습니까? Не пойдёте ли Вы обедать?
siksahareo gaji anketseumnikka

⑤ '~(으)러 가다' выражает цель или намерение.

수영하러 갑니다. : Я иду плавать.
주스를 마시러 갑니다. : Я иду пить сок.

레스토랑에 점심을 먹으러 갑니다. Я иду обедать в ресторане.
restorang-e jeomsimeul meogeureo gamnida

도서관에 공부를 하러 갑니다. Я иду заниматься в библиотеке.
doseogwane gongbureul hareo gamnida

⑥ '~(으)니까' показывает, что в предыдущем предложении заключена причина или временная предпосылка для последующего предложения.

수영을 좋아합니까, 같이 가겠습니다.
: Я поиду с вами, так как люблю плавание.

한국에서 살았으니까, 한국말을 잘합니다.
hangugeseo sarasseunikka hangukmareul jahamnida
Я хорошо говорю по-корейски, так как я жил в Корее.

Упражнения

1 Переведите на корейский язык.

Пример
школа (학교)

(1) любить ( ) (2) плавание ( ) (3) ненавидеть ( )
(4) хорошо ( ) (5) спорт ( ) (6) теннис ( )

2 Составьте предложение согласно приведенному примеру.

Пример
테니스, 수영 → 테니스는 좋아하지 않지만, 수영은 좋아합니다.

(1) 커피, 주스 → ______________________.

(2) 사과, 바나나 → ______________________________ .

(3) 야구, 농구 → ______________________________ .

(4) 쓰기, 읽기 → ______________________________ .

(5) 라면, 자장면 → ______________________________ .

3 Составьте предложение в пригласительной форме согласно примеру.

Пример

골프치다. → 골프치러 갑시다.

(1) 밥을 먹다. → ______________________________ .

(2) 영화 보다. → ______________________________ .

(3) 커피를 마시다. → ______________________________ .

(4) 수영을 하다. → ______________________________ .

(5) 한국어를 공부하다. → ______________________________ .

4 Ответьте на вопрос и обсудите ответы.

(1) 무슨 운동을 좋아하십니까? Какой вид спорта вы любите?

(2) 좋아하는 운동은 무엇입니까? Какой ваш любимый спорт?

(3) 무슨 운동을 잘하십니까? В какой вид спорта вы хорошо играете?

(4) 무슨 음료를 좋아하십니까? Какой напиток вы любите?

Практика Чтения

(1) 어제는 운동과 쇼핑을 했습니다.
Я занималась спортом и делала покупки.

(2) 저는 농구를 좋아하지만, 테니스는 좋아하지 않습니다.
Я люблю баскетбол, но не люблю теннис.

(3) 무슨 음료수를 드시겠습니까?
Какой напиток Вы будете пить?

(4) 영주 씨와 저는 커피를 싫어합니다.
Ёнгжу и я не любим кофе.

(5) 주말에 탁구장에 같이 가지 않겠습니까?
Не хотите пойти на в плошадку для настольного тенниса?

제 19 과

Урок 19

세탁물을 맡기려고 합니다.

Я принёс вещи на стирку.

Ключевые Предложения

1. 재킷을 세탁하려고 합니다. Я хотел бы почистить жакет.
jaekiseul setakharyeogo hamnida

2. 금요일 오후까지 배달해 드리겠습니다. Я доставлю (жакет) в пятницу до обеда.
geumyoil ohukkaji baedalhae deurigetseumnida

▪Диалоги▪

Диалог 1

영주: 푸휘 씨, 재킷이 아주 멋있군요.
puhwi ssi jaekisi aju meoditgunyo
Пухи, Ваш жакет-красивый!

푸휘: 어제 남대문시장에서 샀습니다.
eoje namdaemunsijang-eseo satseumnida
Вчера я купил на рынке Намдэмун.

영주: 그런데, 재킷에 무엇이 묻었군요.
geureonde jaekise mueosi mudeotgunyo
Между прочим, чем-то Ваш жакет испачкан.

푸휘: 이런! 사자마자 더러워졌군요. 어떻게 하면 좋겠습니까?
ireon sajamaja deoreowojyeotgunyo otteoke hamyeon joketseumnikka
Как только я купил его, он стал грязным. Что мне надо делать?

영주: 옆 건물 2층에 세탁소가 있습니다. 같이 갈까요?
yeop geonmul icheung-e setaksoga isseumnida gachi galkkayo
На втором этаже следующего здания есть химчистка. Пойти с вами?

푸휘: 아니오, 괜찮습니다.
anio gwaenchanseumnida
Нет, спасибо.
혼자 갈 수 있습니다.
honja gal su itseumnida
Я могу пойти один.

Диалог 2 (세탁소에서) (В химчистке)
setaksoeseo

푸휘: 실례합니다. 이 재킷을 세탁하려고 합니다.
sillyehamnida i jaekiseul setakharyeogo hamnida
Извините, а я хочу почистить этот жакет.

세탁소 주인: 이런! 많이 더러워졌군요.
ireon mani deoreowojyeotgunyo
Ой, Он сильно загрязнился!
무엇이 묻었습니까?
mueosi mudeotseumnikka
Что это за пятно?

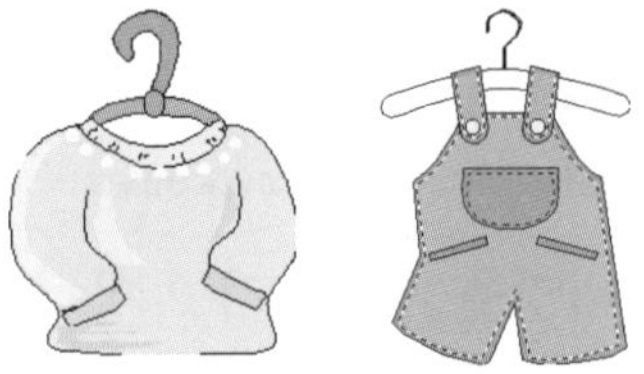

푸휘: 모르겠어요. 어제 샀는데…
moreugesseoyo eoje sanneunde...
Я не знаю, я его вчера купил.
세탁비는 얼마입니까?
setakbineun eolmaimnikka
Сколько за чистку?

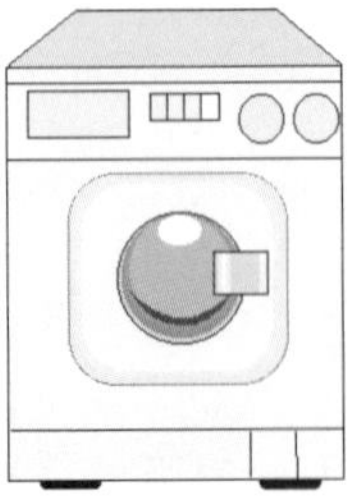

세탁소 주인: 재킷은 6,000원입니다.
jaekiseun yukcheonwonimnida
За жакет 6,000 вон.

푸휘: 이번 주 토요일에 입으려고 합니다만, 언제 찾으러 올까요?
ibeon ju toyoire ibeuryeogo hamnidaman eonje chajeureo olkkayo
Я собираюсь одеть его в эту субботу, когда можно прийти за ним?

세탁소 주인: 금요일 오후까지 배달해 드리겠습니다.
geumyoil ohukkaji baedalhae deurigetseumnida
Я доставлю в пятницу до обеда.

푸휘: 감사합니다.
gamsahamnida
Спасибо.

■Слова и Фразы■

• 재킷	жакет	• 아주	очень	• 멋있다	прекрасный
• 어제	вчера	• 사다	купить	• 묻다	пятнать
• 배달하다	доставлять	• 그런데	а	• 이런	ой
• 더러워지다	испачкано	• 옆	рядом с	• 건물	здание
• 2층	второй этаж	• 세탁소	химчистка	• 같이	вместе с
• 괜찮습니다	ничего	• 혼자	один, одна	• 많이	много
• 언제	когда	• ~만	только	• 이번 주	на этой неделе

- 금요일 пятница
- 찾다 прийти за
- 입다 одевать
- 실례합니다 извините,
- 모르다 не знать
- 감사합니다 спасибо
- 사자마자 как только купить
- 주인 хозяйн
- 세탁비 плата за чистку
- 토요일 суббота
- 세탁하려고 чтобы почистить
- 배달해 드리다 доставить
- 남대문시장 Намдэмун рынок
- 오후 полдень

Заучивание слов

세탁을 하다
setageul hada
чистить

다림질을 하다
darimjireul hada
гладить

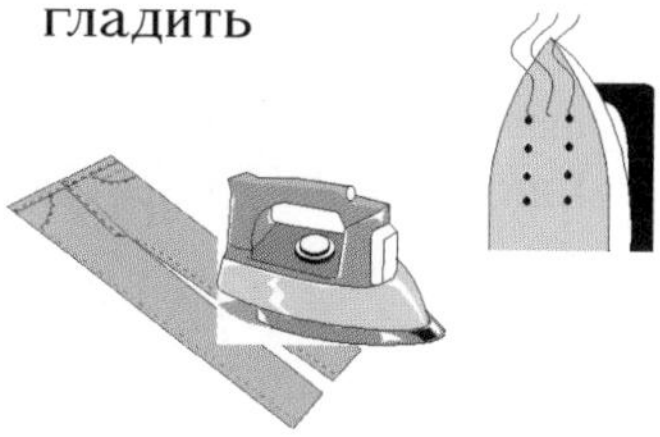

바짓단을 줄이다
bajitdaneul jurida
укоротить брюки

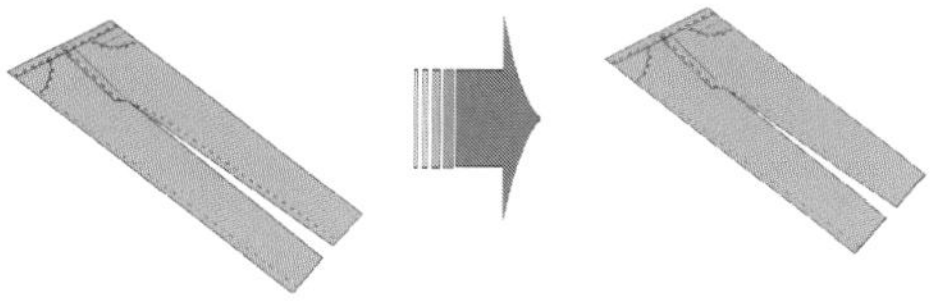

허릿단을 늘리다
heoritdaneul neurrida
расширить в талии

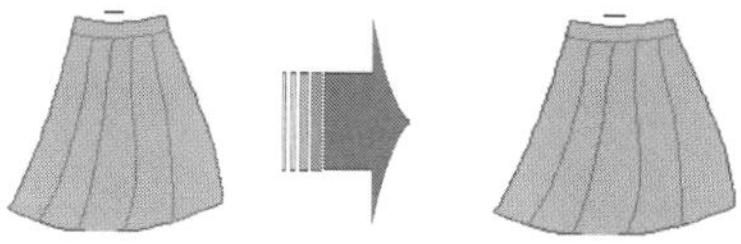

Структуры И Выражения

① '~자마자' обозначает 'как только' или 'прямо после чего-то'. Второе действие следует прямо после первого действия.

> **사자마자** : как только купить

밥을 먹자마자 회사에 갔습니다.
babeul meokjamaja hoesae gatseumnida
После обеда сразу, я пошёл на фирму.

일어나자마자 학교에 갔습니다.
ireonajamaja hakgyoe gatseumnida
Как только я встал, я пошёл в школу.

집에 가자마자 친구에게 전화했습니다.
jibe gajamaja chinguege jeonhwahaetseumnida
Как только я приехал домой, я позвонил другу.

2 '~(으)려고 하다' выражает замысел или намерение.

이 재킷을 세탁하려고 합니다.
: Я хотел бы почистить этот жакет.

무슨 운동을 하려고 합니까?
museun undong-eul haryeogo hamnikka
Каким спортом вы собираетесь заниматься?

한국어를 공부하려고 합니다.
hangugeoreul gongbuharyeogo hamnida
Я хотел бы заниматься корейским языком.

친구를 만나려고 합니다. Я хотел бы встретиться с другом.
chin-gureul mannaryeogo hamnida

양복을 맡기려고 합니다. Я собираюсь почистить костюм.
yangbogeul matgirleogo hamnida

3 '~까지' выражает 'до~' (место,время) на русском языке.

수요일까지 숙제를 제출하겠습니다.
: Я сдам домашнее задание до среды.

수원까지 40분 걸립니다. Требуется 40 минут до Сувона.
suwonkkaji sasipbun geolrimnida

도서관까지 걸어갔습니다. Я пошёл пешком до библиотеки.
doseogwankkaji georeogatsemunida

밤 늦게까지 책을 읽었습니다. Я читал книгу до поздней ночи.
pam nŭkkekkaji chaegeul ilgeotseumida

4시까지 한국어를 공부합니다.
nesikkaji hangugeoreul gongbuhamnida
Я занимаюсь корейским языком до четырёх часов.

Упражнения

1 Составьте предложения, используя частицу '~겠' будущего времени согласно приведенному примеру.

Пример

세탁물을 맡기다. → 세탁물을 맡기겠습니다.
сдать в прачечную. → Я сдам в прачечную.

(1) 양복을 사다. закупить костюм → ________ .
(2) 세탁소에 가다. пойти в химчистку → ________ .
(3) 선물을 배달하다. доставить подарок → ________ .
(4) 토요일에 찾다. прийти за чем в субботу → ________ .
(5) 같이 가다. пойти вместе → ________ .

2 Составьте предложения согласно приведенными в упражнении примерам.

Пример

공부하다. → 공부하려고 합니다.
заниматься. → Я собираюсь заниматься.

(1) 커피를 마시다. пить кофе → ________ .
(2) 수영을 하다. плавать → ________ .
(3) 세탁물을 맡기다. сдавать в прачечную → ________ .
(4) 일찍 자다. спать рано → ________ .

3 Составьте предложения согласно приведенными в упражнении примерам.

Пример

파티가 끝나다./세탁소에 가다. → 파티가 끝나자마자 세탁소에 갔습니다.
Как только закончилась вечеринка , я пошёл в химчистку.

(1) 우유를 마시다./운동을 하다.
→ ________________________ .

(2) 양복을 사다./세탁하다.

→ ________________________________ .

(3) 수업이 끝나다./식당에 가다.

→ ________________________________ .

(4) 일찍 일어나다./회사에 가다.

→ ________________________________ .

4 Ответьте на вопрос и обсудите ответы.

(1) 세탁소에 간 적이 있습니까?

Были ли в химчистке?

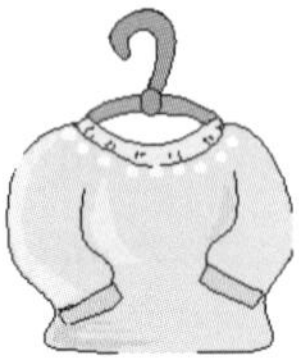

(2) 무엇을 했습니까?

Что вы делали?

(3) 세탁비는 양복 한 벌에 얼마입니까?

Какая плата за чистку костюма?

Практика Чтения

(1) 어제 백화점에서 재킷을 샀습니다.

Вчера я купил жакет в универмаге.

(2) 세탁비는 얼마입니까?

Сколько за чистку?

(3) 언제 찾으러 올까요?

Когда можно прийти за ним?

(4) 투피스 한 벌에 6,000원입니다.

Одно платье стоит 6,000 вон.

(5) 금요일 오후까지 배달해 드리겠습니다.

Я доставлю в пятницу до обеда.

제 20 과

Урок 20

편지를 쓰고 있습니다. Я пишу письмо.

Ключевые Предложения

1. 부모님께 편지를 쓰고 있습니다. Я пишу родителям письмо.
   bumonimkke pyeonjireul sseugo itseumnida
2. 이 편지를 중국으로 부치려고 합니다. Я хотел бы послать это письмо в Китай.
   i pyeonjireul junggugeuro buchiryeogo hamnida

▪Диалоги▪

Диалог 1

영주: 무엇을 하고 있습니까?
mueoseul hago itseumnikka
Что Вы делаете?

푸휘: 편지를 쓰고 있습니다.
pyeonjireul sseugo itseumnida
Я пишу письмо.

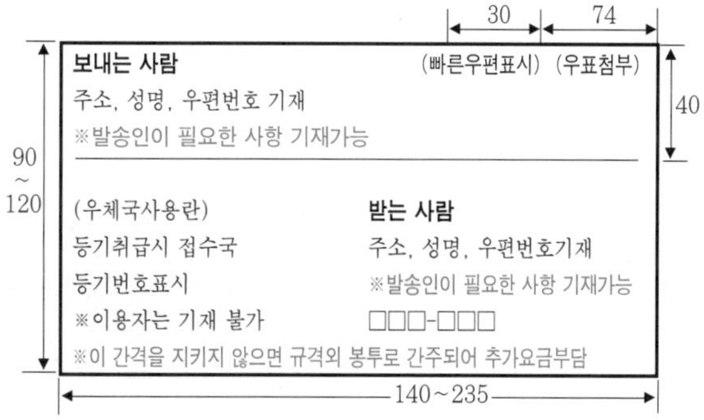

(각 부분 기재위치는 ±5mm까지 가능)

영주: 누구에게 쓰고 있습니까?
nuguege sseugo itseumnikka
Кому Вы пишете?

푸휘: 부모님께 쓰고 있습니다.
bumonimkke sseugo itseumnida
Я пишу родителям.

그런데 봉투는 어떻게 씁니까?
geureonde bongtuneun eotteoke sseumnikka
Кстати, как писать на конверте?

영주: 앞면 중간 부분에 받을 사람의 주소와 이름을 쓰고,
apmyeon junggan bubune badeul saramui jusowa ireumeul sseugo
Напишите адрес и имя получателя в середине,
왼쪽 윗부분에 보내는 사람의 주소와 이름을 씁니다.
oenjjok witbubune bonaeneun saramui jusowa ireumeul sseumnida
на верху слева напишите адрес и имя отправителя

푸휘: 소포를 부치려면 우체국에 가야 됩니까?
soporeul buchiryeomyeon ucheguge gaya doemnikka
Чтобы послать посылку, надо идти на почту?

영주: 예, 직접 가셔야 됩니다.
ye jikjeop gasyeoya doemnida
Да, лично надо идти.

Диалог 2 (우체국에서) (На почте)
uchegugeseo

푸휘: 이 편지를 중국으로 부치려고 합니다.
i pyeonjireul jung-gugeuro buchiryeogo hamnida
Я хочу послать это письмо в Китай.

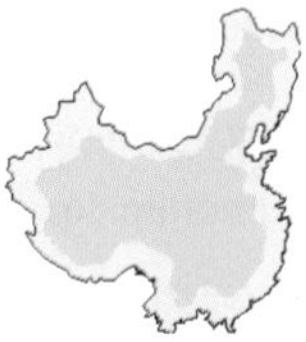

직원: 360원입니다.
sambaek-yuksip wonimnida
360 вон, пожалуйста.

푸휘: 이 소포도 부쳐 주십시오.
i sopodo buchyeo jusipsio
Отправьте, пожалуйста эту посылку.

직원: 4,200원입니다.
sacheonibaek wonimnida
Стоит 4200 вон.

깨지는 물건은 아닙니까?
kkaejineun mulgeoneun animnikka
Это небьющиеся предметы?

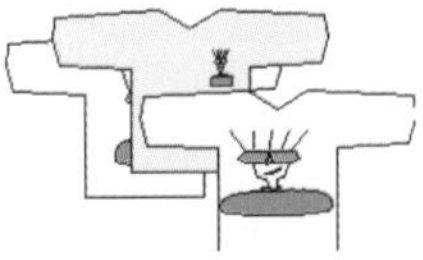

푸휘: 예, 티셔츠와 손수건입니다.
ye tisyeocheuwa sonsugeonimnida
Да, футболка и носовой платок.

그런데, 어느 정도 걸립니까?
geureonde eoneu jeongdo geolrimnikka
А как долго идёт посылка?

직원: 요즈음은 바빠서 1주일에서 10일 정도 걸립니다.
yojeueumeun bappaseo iljuireseo sibil jeongdo geolrimnida
В последнее время почта загружена, поэтому требуется приблизительно одна неделя или 10 дней.

▪Слова и Фразы▪

- 하다 делать
- 앞면 передняя сторона
- 받을 사람 получатель
- 쓰고 있다 пишу
- 물건 вещь
- 티셔츠 футболка
- 부모님 родители
- 중간 부분 в середине
- 보내는 사람 отправитель
- 직접 прямо, лично
- 손수건 носовой платок
- ~정도 приблизительно
- 요즈음 в последнее время
- 부치다 послать, отправить
- 부쳐 주다 отправить для кого или вместо кого
- 편지 письмо
- 바빠서 потому что занято
- 윗부분 верхняя часть
- 가야 되다 надо идти
- 중국 Китай
- 하고 있다 делаю
- 그런데 а, но
- 주소 адрес
- 가다 идти
- 아닙니까? неужели не-
- 깨지다 разбиваться
- 부모님께 родителям
- 어느 정도 сколько, как долго
- 걸리다 требоваться
- 봉투 конверт
- 우체국 почта
- 이름 имя
- 소포 посылка
- 달다 весить
- 쓰다 писать
- 어떻게 как
- 왼쪽 слева
- 바쁘다 занято

Заучивание слов

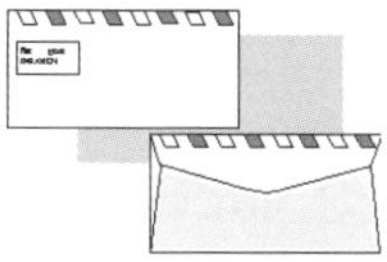

국제우편 международная почта
gukjeupyeon

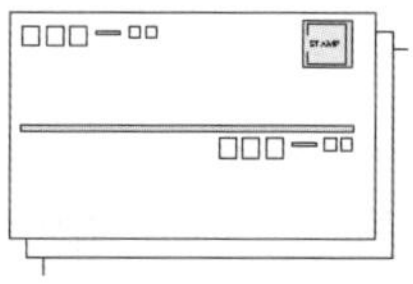

국내우편 внутренная почта
guknaeupyeon

소포 посылка
sopo

빠른우편 экспресс почта
ppareunupyeon

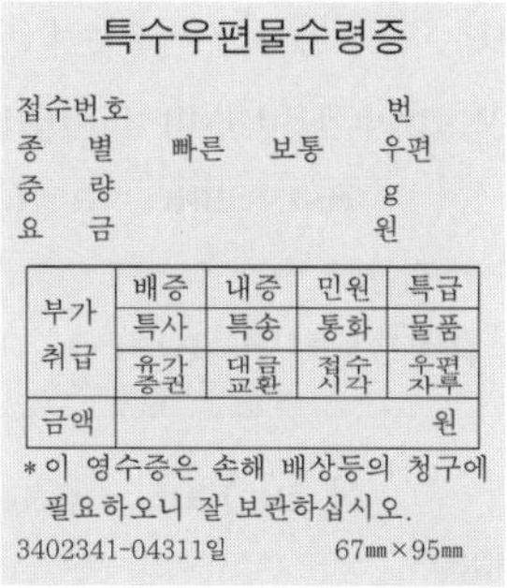

특수우편물수령증

접수번호 번
종 별 빠른 보통 우편
중 량 g
요 금 원

부가 취급	배증	내증	민원	특급
	특사	특송	통화	물품
	유가증권	대금교환	접수시각	우편자루
금액				원

*이 영수증은 손해 배상등의 청구에 필요하오니 잘 보관하십시오.
3402341-04311일 67㎜×95㎜

등기 заказное письмо
deunggi

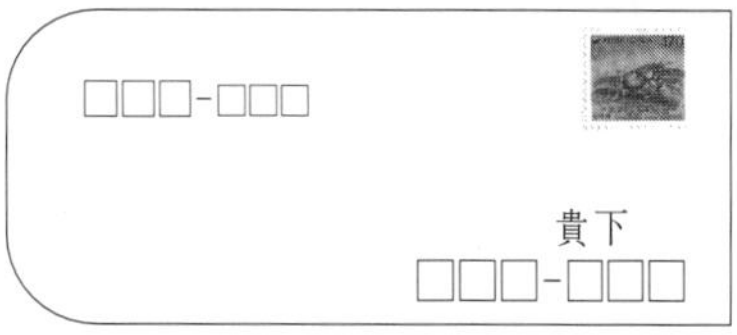

보통우편 обычная почта
botongupyeon

Структуры И Выражения

1 '~고 있습니다' обозначает процесс действия.

> **편지를 쓰고 있습니다.** : Я пишу письмо.

한국어를 공부하고 있습니다. Я изучаю корейский язык.
hangugeoreul gongbuhago itseumnida

중국어 숙제를 하고 있습니다.
junggugeo sukjereul hago itseumnida
Я делаю домашнее задание по китайскому языку.

소포를 부치고 있습니다. Я посылаю посылку.
soporeul buchigo itseumnida

2 Соедительное окончание '~고' соединяет два предложения вместе как равноправные.

> **동생은 공부하고, 나는 편지를 씁니다.**
> : Младший брат занимается, а я пишу письмо.

친구는 밥을 먹고, 나는 빵을 먹습니다.
chinguneun babeul meokgo naneun ppang-eul meoksseumnida
Друг кушает рис, а я ем хлеб.

친구는 10시에 자고, 나는 12시에 잡니다.
chinguneun yeolsie jago naneun yeoldusie jamnida
Друг ложится спать в 10 часов, а я ложусь в 12 часов.

영주 씨는 테니스를 좋아하고, 나는 수영을 좋아합니다.
yeongju ssineun tenisreul joahago naneun suyeong-eul joahamnida
Ёнжу любит теннис, а я люблю плавание.

3 Соедительное окончание '~아서/~어서', обозначает и временную последовательность между действиями главного и придаточного и причину. Если убрать выражение '~서', значение предложения не изменится.

> **바빠서 오래 걸립니다.** : Требуется долго, потому что занято.

게을러서 늦게 일어납니다. Я встаю поздно, так как я-ленивый.
geeulreoseo neutge ireonamnida

슬퍼서 울었습니다. Я плакал, так как мне было грустно.
seulpeoseo ureotseumnida

④ Выражение '~정도' обозначает 'приблизительно', 'около'.

학생이 20명 정도입니다. : Приблизительно 20 студентов.

학교까지 몇 분 정도 걸립니까?
hakgyokkaji myeot bun jeongdo geolrimnikka
Сколко времени занимает дорога в школу?

⑤ '~(으)면' выражает предварительное условие действия или состояния следующего предложения и обозначает 'если'.

우체국에 가면 소포를 부칠 수 있습니다.
: Если Вы пойдёте на почту, вы можете отправить посылку.

소포를 부치려면 우체국에 가야 됩니다.
: Если вы хотите послать посылку, Вы должны пойти на почту.

공부를 하려면 도서관에 가야 합니다.
gongbureul haryeomyeon doseogwane gaya hamnida
Если Вы хотите заниматься, Вы должны идти в библиотеку.

빨리 달리면 경주에서 이길 수 있습니다.
ppalli dalrimydon gyeongjueseo igil su itseumnida
Если быстро бежать, то можно выиграть.

Упражнения

1 Составите диалоги согласно приведенному примеру.

(1)

Пример
편지를 쓰다. → 편지를 쓰려면 어떻게 합니까?

① 소포를 부치다. послать посылку
→ ______________________________ ?

② 우체국에 가다. идти на почту
→ ______________________________ ?

③ 무게를 달다. весить
→ ______________________________ ?

④ 도서관에 가다. идти в библиотеку

→ ______________________ ?

⑤ 양복을 사다. купить пиджак

→ ______________________ ?

(2)

Пример

편지를 쓰다. → 편지를 쓰고 있습니다.

① 무게를 달다. весить

→ ______________________ .

② 전화를 걸다. звонить

→ ______________________ .

③ 우유를 마시다. пить молоко

→ ______________________ .

④ 책을 읽다. читать книгу

→ ______________________ .

⑤ 한국어를 공부하다. заниматься корейским языком

→ ______________________ .

2 Вставьте '~에게' или '~께'.

(1) 친구(　　) 편지를 쓰고 있습니다.
Я пишу другу письмо.

(2) 할아버지(　　) 전화를 걸었습니다.
Я позвонил дедушке.

(3) 선생님(　　) 소포를 부쳤습니다.
Я послал посылку учителю.

(4) 동생(　　) 선물을 주었습니다.
Я дал подарок младшему брату.

(5) 사장님(　　) 한국어를 가르쳐 드리고 있습니다.
Я преподаю директору корейский язык.

3 Ответьте на вопрос.

(1) 편지 봉투는 어떻게 씁니까?
Как писать на конверте?

(2) 소포를 부치려면 어떻게 합니까?
Как послать посылку?

(3) 우체국에 간 적이 있습니까?
Были ли Вы на почте?

(4) 부모님께 편지를 쓴 적이 있습니까?
Писали ли Вы раньше письма родителям?

Практика Чтения

(1) 친구에게 편지를 쓰고 있습니다.
Я пишу другу письмо.

(2) 부모님께 엽서를 쓰고 있습니다.
Я пишу открытку родителям.

(3) 오늘 우체국에서 편지와 소포를 부쳤습니다.
Сегодня я послал письмо и посылку по почте.

(4) 깨지는 물건은 아닙니까?
Это небьющиеся предметы?

(5) 이 편지를 미얀마에 부치려고 합니다.
Я хочу послать это письмо в Бирму.

한국 지도

КАРТА КОРЕИ

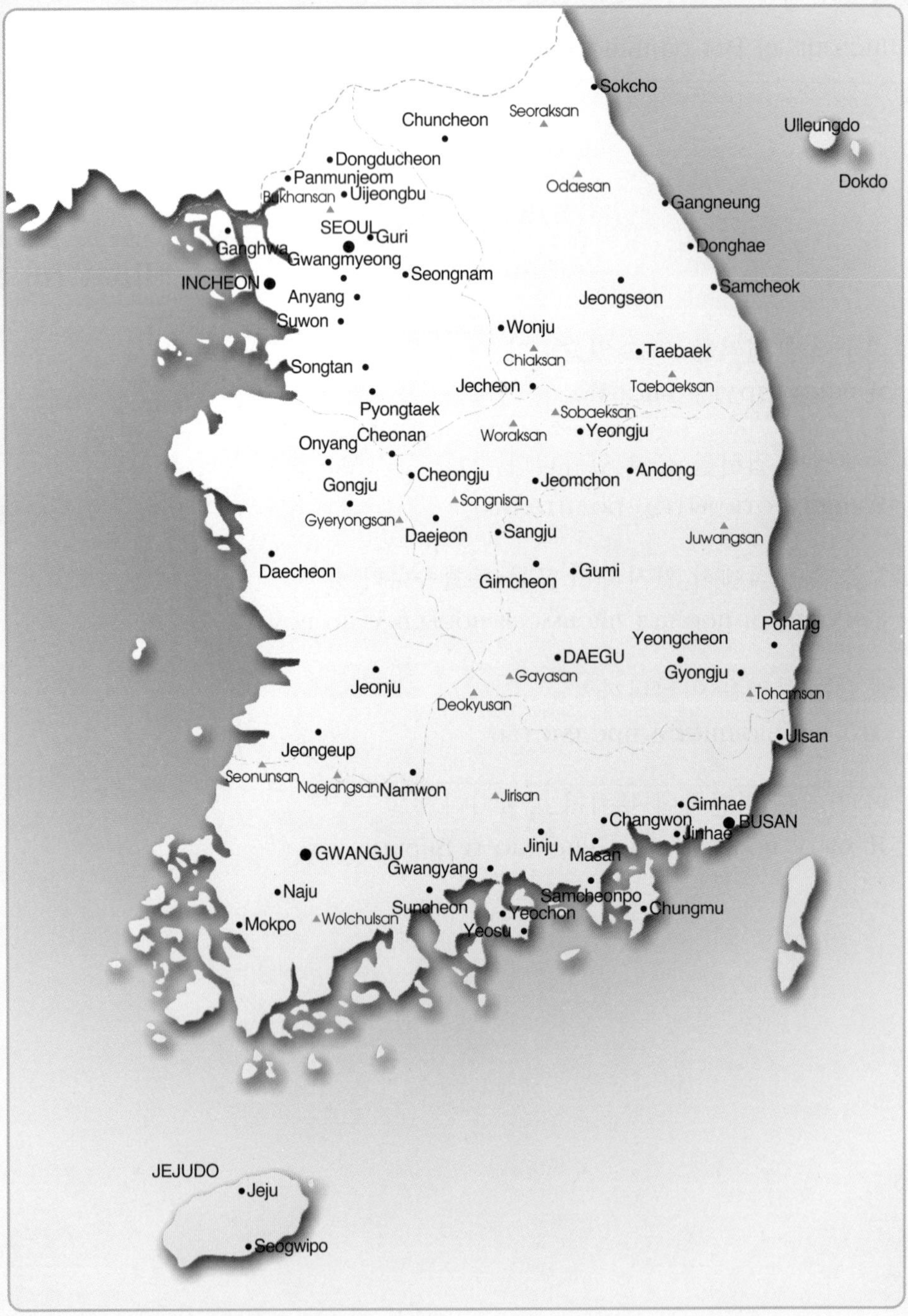

Sokcho
Seoraksan
Chuncheon
Ulleungdo
Dongducheon
Panmunjeom
Bukhansan
Uijeongbu
Odaesan
Dokdo
Gangneung
SEOUL
Guri
Ganghwa
Gwangmyeong
Donghae
INCHEON
Seongnam
Jeongseon
Samcheok
Anyang
Suwon
Wonju
Taebaek
Chiaksan
Songtan
Jecheon
Taebaeksan
Pyongtaek
Sobaeksan
Woraksan
Yeongju
Onyang
Cheonan
Andong
Cheongju
Jeomchon
Gongju
Songnisan
Gyeryongsan
Daejeon
Sangju
Juwangsan
Daecheon
Gimcheon
Gumi
Pohang
Yeongcheon
DAEGU
Gyongju
Gayasan
Jeonju
Tohamsan
Deokyusan
Ulsan
Jeongeup
Seonunsan
Naejangsan
Namwon
Jirisan
Gimhae
Changwon
BUSAN
Jinhae
Jinju
Masan
GWANGJU
Gwangyang
Naju
Samcheonpo
Suncheon
Chungmu
Yeochon
Mokpo
Wolchulsan
Yeosu
JEJUDO
Jeju
Seogwipo

ИНДЕКС КОРЕЙСКОГО-АНГЛИЙСКОГО-РУССКОГО-ЯПОНСКОТО ЯЗЫКА
(국문 · 영문 · 노문 · 일문 색인)

ㄱ

ㄴ

ㄷ

~도 87	also	тоже	~も
도서관 31	library	библиотека	圖書館
도시 87	city	город	都市
도와 주세요 97	please help (me)	помогите	助けてください
도장 79	signature stamp	печать	はんこ
돈 75	money	деньги	お金
돕다 98	to help	помочь	助ける
동문 91	alumni	студенты	同門, 同窓
동문들과 91	with alumni	с выпускникам	同門たちと, 同窓生たちと
동문회 93	an alumni association	встреча с выпускниками	同門会, 同窓会
동생 7	younger brother or sister	младший брат	弟, 妹
동전 49	coin	мелочь	硬貨
되세요 67	please become...	станите	なさいませ
두 명 38	two people	два человека	2人, 2名
두 시 55	two o'clock	в 2 часа	2時
드림 92	formality in writing letters. (used after a name)	от кого-то	~より
드세요 98	please have(eat)...	принимайте	召し上がってください
~드시겠습니까? 50	would you like to have...?	будете заказывать?	召し上がりますか
들르다 93	to stop by	(по дороге) заходить	立ち寄る
따라가세요 62	please follow....	следуйте	ついていってください
떠났어요 68	left	отправился	発ちました
~ㄹ 것 같아요 25	to seem	кажется. ~	~のようです ~だろう

ㅁ

마시다 50	to drink	выпить	飲む
마시러 104	to drink	,чтобы выпить	飲みに
마실 것 104	something to drink	то, что выпить	飲み物
마실게요 50	(I will) drink......	буду пить	飲みます
마십시오 98	please don't do....	не делайте-	飲んでください
마음에 들어요 86	to be agreeable to one's mind	нравится. ~	気にいる
~만 111	only	только	~だけ
만나다 2	to meet	встретиться	会う
만날까요? 55	Shall (we) meet...?	встретимся?	会いますか?
만들다 81	to make	сделать. открыть	作る
만들려고 81	to make	,чтобы сделать. открыть	作ろうと
많다 18	many	много	多い
많이 110	a lot, much	много	たくさん
말씀하다 98	to say, honorific	сказать	おっしゃる
말씀해 주세요 98	please say...	скажите, пожалуйста	おっしゃってください
말하다 97	to speak	сказать	言う, しゃべる
맛있다 50	to be delicious	вкусно	おいしい
매일 98	every day	каждый день	毎日
맥도날드 55	McDonald's	Макдоналд	マクドナルド
멋있다 110	to look good	прекрасный	かっこいい

봉투 115	envelope	конверт	封筒
부동산 75	real estate	недвижмость	不動産
부디 91	please....	пожалуйста	ぜひ
부모님 115	parents	родители	ご兩親(兩親)
부모님께 115	to parents	родительям	ご兩親に
부쳐 주다 117	to send	отправить	送ってくれる
부치다 117	to send	послать, отправить	送る
부탁하다 93	to ask	просить, поручать	頼む, 願う
불고기 49	Bulgogi	Пулгоги	焼き肉, プルゴギ
불국사 67	Bulguksa(name of a temple)	Пулгукса	仏国寺
붙이다 98	apply	прикладывать	つける
블랙커피 50	black coffee	чёрный кофе	ブラックコ-ヒ-
블록 13	block	блок	ブロック
비 25	rain	дождь	雨
비밀 100	secret	секрет	秘密
비밀 번호 80	PIN	секретный номер	秘密番号, 暗証番号
비빔밥 49	Bibimbap	Бибимбаб	ビビンバッブ, 混ぜご飯
빌려 주다/빌려 드리다 38	to lend	одолжить	貸してくれる/貸してあげる
빌려 주세요 37	please lend me....	одолжите	

ㅅ

사다 87	to buy	купить	買う
사람 1	person	человек	人
사려고 해요 85	try to buy	собираюсь купить	買おうとしています
사무실 74	office	офис	事務室
사용하다 50	to use	использовать	使用する, 使う
사이다 104	sprite(soda)	спрайт	サイダ-
사이즈 86	size	размер	サイズ
사자마자 109	as soon as I bought (it)	как только купить	買ってすぐ
사천사백 원 43	4,400 won	четыре тысячи четыреста вон	4,400ウォン
삼각지역 61	Samgakji station (a subway station)	станция Самгакжи	三角地驛
삼, 사 일이면 98	in 3 or 4 days	приблизительно через 3, 4 дня	3, 4日なら
삼천칠백 원 44	3,700 won	3,700 вон	3,700ウォン
상표 86	brand	марка	商標, マ-ク
새마을호 68	Saemaul-ho(a kind of train)	Сэмаул-хо	セマウル號
색깔 86	color	цвет	色
생각하다 98	to think	думать	考える, 思う
생일 31	birthday	день рождения	誕生日
생일 파티 32	birthday party	вечеринка дня рождения	誕生パ-ティ-
설렁탕 49	Seollngtang(a Korean dish)	Соллонттамг	ソルロンタン(牛の骨のス-プ)
설악산 68	Seorak Mountain	горы Сорак	ソラクサン(雪岳山)
설탕커피 50	coffee with sugar	кофе со сахаром	砂糖入りコ-ヒ-
세 개에 43	for three	за три	三つで

ㅇ

잃어버리다 14	to lose	... ?	なくす, 失う
~입니까? 19	is (it)...?	одевать	~ですか
입다 111	to wear	есть, находиться, быть	着る
있다 104	it is	есть, находиться, быть	ある
있어요 13	it is...	находиться, есть,	あります
있어요? 55	(where) is...?	является?	ありますか

ㅈ

자동판매기 49	vending machine	автомат	自動販売機
자취방 73	a self-boarding room	один тип квартиры	自炊部屋
자판기 104	vending machine	автомат	自動販売機
작성하다 75	to fill in	записать	作成する
잘 104	well	хорошо	よく
잠깐 92	for a short time	минутку	しばらく, ちょっと
장소 91	place	место	場所
재미있다 8	to be interesting	интересный	おもしろい
재킷 109	jacket	жакет	ジャケット
재학생 91	enrolled student	студент	在学生
저 103	I, me	туда, тут,	私
저것은 19	that	это	あれは
저금하다 81	to save	вложить деньги на счёт	貯金する
저기 13	over there	там	あそこ
저기에 85	over there	там	あそこに
저녁 32	evening	вечер	夕方, 夜, 夕ご飯
저예요 55	(it is) me	это я	私です
저쪽 14	that way	туда, тут, в ту сторону	あちら
적다 8	not many	мало	少ない
전통적인 67	traditional	традиционный	傳統的な
전해 주세요 56	please tell....	передайте. что-	傳えてください
전화 56	telephone	звонок	電話
전화 번호 97	phone number	номер телефона	電話番號
전화했다고 56	that I called	передайте, что я позвонил	電話したと
~정도 75	about, approximately	около, приблизительно	~ぐらい, ~ほど
정말로 104	really	действительно	本当に
조금 68	a little	немного	少し, ちょっと
존에게는 92	to John	Джону	ジョンには
졸업생 91	graduate	выпустник	卒業生
좋겠어요 38	will be good	будет хорошо	いいです
좋다 75	to be good	хорошо	良い
좋습니다 103	ok	хорошо	良いです
좋아하다 104	to like	любить	好きだ
좋아하지 않지만 103	though I don't like....	не люблю, но	好きではないが
좋아합니다만 104	I like but....	люблю, но	好きですが
좋아해요 25	to like	люблю	好きです

ㅊ

ㅋ

ㅌ

토마토 43	tomato	помидор	トマト
토요일 110	Saturday	суббота	土曜日
통장 80	bank book	банковская книжка	通帳
티셔츠 116	sweat shirt	футболка	Tシャツ

ㅍ

파랑색 37	blue	синнего цвета	青色
파출소 13	police station	отделение полиции	派出所
펜 37	pen	ручка	ボールペン
편지 115	letter	письмо	手紙
표 68	ticket	билет	切符, チケット
표시 62	sign	знак	しるし
프로스펙스 86	Prospecs(name of a brand)	Проспекс	プロスペクス

ㅎ

하고 있다 117	being doing	делает	~している
하다 98	to do	делать	する
하지만 92	but	а, но	けれども
학교 31	school	школа	学校
한 13	one	один	一, 一つ
한번 86	one time	один раз	一回
한 장 67	one	один билет	一枚
한국 67	Korea	Корея	韓国
한국어 7	The korean language	корейский язык	韓国語
한국어로 19	in Korean	по-корейски	韓国語で
한국어반 91	Korean language class	кафедра корейского языка	韓国語クラス
한국인 8	Korean	кореец	韓国人
할 수 있어요? 73	can (you) do?	можете что-то делать	できますか
합시다 74	let's do....	давайте-	しましょう
해 주다 93	to do	сделать	してくれる
현금 80	cash	наличные деньги	現金
현금 카드 80	cash card	денежная налочная карточка	現金カ-ド
형 7	elder brother	старший брат	お兄さん, 兄
혼자 109	alone	один, одна	一人
화장실 13	restroom	туалет	トイレ
확인하다 81	to confirm	проверить	確認する
확인해 보다 81	try to confirm	проверить	確認してみる
회사원 7	office worker	бизнесмен	会社員
~후 98	after	после	~後
흐리다 26	to be cloudy	пасмурно	曇る
흰색 86	white	белого цвета	白色

FIRST STEP IN KOREAN FOR RUSSIAN

2001년 6월 5일 초 판 발행
2020년 1월 5일 초 판 제8쇄 발행

原著者 慶熙大學校 平生教育院
代表著者 李 淑 子
發行者 金 哲 煥
發行處 民衆書林

10881 경기도 파주시 회동길 37-29
(파주출판문화정보산업단지)
전화 (영업)031) 955-6500~6 (편집)031) 955-6507
Fax (영업)031) 955-6525 (편집)031) 955-6527
홈페이지 http: // www.minjungdic.co.kr

등록 1979. 7. 23. 제2-61호

정가 13,000원

ISBN 978-89-387-0007-0 13710

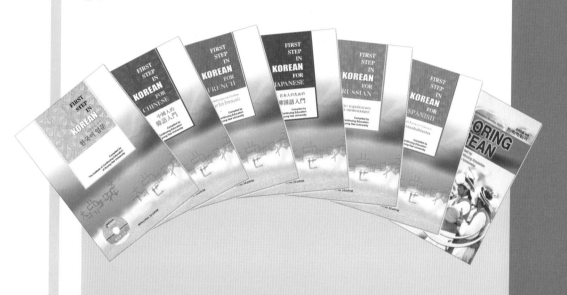